T4-AJP-984

강한 용사

강한 용사

지은이 | 한명철
초판 발행 | 2012년 5월 10일
2쇄 발행 | 2012년 6월 1일

등록번호 | 제3-203호
등록된 곳 | 서울특별시 용산구 서빙고동 95번지
발행처 | 사단법인 두란노서원
영업부 | 2078-3333 FAX 080-749-3705
출판부 | 2078-3477

책 값은 뒤 표지에 있습니다.
ISBN 978-89-531-1759-4 03230

편집부에서 독자의 의견을 기다립니다.
tpress@duranno.com http://www.Duranno.com

두란노서원은 바울 사도가 3차 전도여행 때 에베소에서 성령 받은 제자들을 따로 세워 하나님의 말씀으로 양육하던 장소입니다. 사도행전 19장 8-20절의 정신에 따라 첫째 목회자를 돕는 사역과 평신도를 훈련시키는 사역, 둘째 세계선교(TIM)와 문서선교(단행본 · 잡지) 사역, 셋째 예수문화 및 경배와 찬양 사역, 그리고 가정 · 상담 사역 등을 감당하고 있습니다. 1980년 12월 22일에 창립된 두란노서원은 주님 오실 때까지 이 사역들을 계속할 것입니다.

강한 용사

한명철 지음

두란노

Mighty Warrior

"역사의 모퉁이 모퉁이에
창조적인 소수자(Creative Minority)가 있다.
그런 창조적인 소수자가 있을 때
역사는 희망을 가진다."
– 아놀드 토인비

추천의 글 1

인생 승리를 위한 탁월한 전략서

『강한 용사』는 이김의 책이요 승리의 책이다. 용기를 주는 책이요 소망을 주는 책이다. 영적 전쟁에서 승리할 수 있는 비법서와 같은 책이다. 영적 전쟁에 대해 우리의 눈을 열어 주는 책이다. 이 책은 영적 전쟁의 치열함을 보여 주면서도 우리를 담대케 한다. 용맹스럽게 한다. 이 책은 적의 정체를 정확하게 알려 주지만 적을 넉넉히 이길 수 있는 길을 제시해 준다. 그런 까닭에 이 책은 우리 가슴을 뛰게 만든다.

전쟁이 두려운 것이 아니라 전쟁에서 승리하는 법을 배우지 못한 것이 두려운 것이다. 전쟁에 필요한 무기를 준비하지 못한 것이 두려운 것이다. 그런데 이 책은 전쟁에서 승리하는 법을 가르쳐 주고 전쟁에 필요한 무기를 우리 손에 들려 준다. 훈련된 용사는 전쟁을 기다린다. 왜냐하면 용사의 용맹은 전쟁터에서 드러나고 용사의 영광은 전쟁터에서 나타나기 때문이다.

저자는 우리의 부르심은 영적 전쟁을 위한 부르심이며, 우리의 정체성은 그리스도의 군사요 용사임을 일깨워 준다. 또한 우리를 부르신 하나님은 전쟁에 능한 용사시요 우리의 군대 장관이심을 상기시켜 준다. 저자는 성경에 능통한 분이다. 성경을 관통하는 중에 영적 전쟁에서 승리하는 법칙을 끌어내어 우리에게 전수해 준다. 저자는 매 순간 승리를 주시는 하나님께 우리의 초점을 맞추게 한다. 이 책은 영적 전쟁에 관한 책이지만 거기에 머물지 않는다. 인생 승리의 비결, 말씀 묵상의 비결, 중보기도의 능력, 그리고 예수님 이름의 권세를 가르쳐 준다. 또한 보배와 같은 승리의 법칙과 지혜를 나누어 준다.

이 책을 영적 전쟁의 실체를 알고 영적 전쟁에서 승리하길 원하는 분들에게 추천하고 싶다. 예수님을 믿지만 자신의 정체성 때문에 고민하는 분들에게 추천하고 싶다. 그리스도의 강한 군사로 살기를 원하는 분들에게 추천하고 싶다. 영적 전쟁의 한복판에서 성도들을 그리스도의 군사로 세우기를 원하는 목회자와 영적 리더들에게 추천하고 싶다. 영적 전쟁에 관한 말씀을 전하기 원하는 설교자들과 성경 교사들에게 이 책을 추천하고 싶다. 부디 거룩한 기대를 가지고 이 책을 읽으라. 자신의 삶의 현장에 적용하며 읽으라. 이기는 자가 되어 하나님이 예비하신 상을 받도록 하라. 영적 전쟁에서 승리함으로 하나님께 영광을 돌리도록 하라.

강준민_새생명비전교회 담임목사, 『늘 꿈을 선택하라』 저자

추천의 글 2

하나님은 창조적 소수와 일하신다

한명철 목사님은 사울의 갑옷을 걸친 다윗이 아니라 흐르는 시냇물에서 오랫동안 제자리를 지킨 물맷돌의 사람이다. 저자는 말씀과 기도로 무장된 하나님의 사람이다. '뺀 자 중에 뺀 자, 그리스도의 강한 용사.' 이것은 지난 몇 년간 저자와 교제하며 나누어 온 대화의 주제였다.

인류는 땅에서, 바다에서, 하늘에서 싸우고 있다. 역사는 사소한 다툼으로 시작해 세계 대전에 이르기까지 온통 싸움으로 얼룩져 있다. 이렇게 충만한 싸움 가운데 가장 치열한 전쟁터는 눈에 보이는 싸움이 아니라, 눈에 보이지 않는 영적 전쟁인 것을 성경은 말씀해 준다. 이 영적 전쟁은 혈과 육에 대한 것이 아니다. 영적 전쟁의 대상은 정사와 권세와 어두움의 세상 주관자들과 하늘에 있는 악한 영들이다(엡 6:12).

영적 전쟁의 승리자는 하나님의 섭리와 경륜에 확신이 선 자이다. 승리는 적을 알고 나를 앎에 있다. 그러나 우리는 적에 대해 너무나 희미한 정보만을 가지고 영적 전쟁에 임하고 있다. 또한 나 자신에 대해서도 잘 모르고 있다. 말세의 끝자락에서 하나님은 하나님의 군사를 찾으신다. 그들은 뺀 자 중에 뺀 자이며, 영적 전쟁을 승리로 이끌 '그리스도의 강한 용사'이다.

이 책 안에는 강한 용사의 모델이 있다. 영적 전쟁의 실상이 정확하게 분석되어 있다. 우리가 싸워야 할 상대가 선명하게 드러나 있으며, 그들이 사용하는 무기가 밝혀져 있다. 그리고 그리스도의 강한 용사가 되기 위해서 어떤 무기로, 어떻게 무장해야 하는지에 대한 방법이 선명하다.

> 이에 내가 보니 흰 말이 있는데 그 탄 자가 활을 가졌고 면류관을 받고 나아가서 이기고 또 이기려고 하더라(계 6:2)

나는 이 책의 독자를 하나님 나라의 창조적 소수로 초청하고 싶다. 뺀 자 중에 뺀 자가 되라! 이 역사의 마지막 때에 하나님께 쓰임받기를 갈망하라! 성도의 별명은 이기고 또 이기는 자(Conqueror, Overcomer)이다. Conqueror! 전쟁의 승리자가 되라!

손경구_강변성결교회 담임목사, 『습관과 영적 성숙』 저자

contens

2부

강한 용사는 날마다 승리한다

들어가는 글

왜 싸움을 들먹이는가? 그렇지 않아도 싸움에 지쳐 버린 삶인데 웬 싸움이란 말인가? 인류의 문명사를 연구한 미국의 철학자 듀랜트(William James Durant)는 과거 3,000년 동안에 전쟁이 없었던 기간이 겨우 268년밖에 안 된다고 했다. '전쟁과 혁명의 세기'로 일컬어진 20세기에만 2억 명의 인구가 목숨을 잃었다. 인류의 역사는 피비린내 나는 전쟁의 연속이었다.

전쟁으로 사람들이 피를 흘렸고, 그 피가 강을 이루고 땅을 적셔서 오늘에 이르렀다. 전쟁에 지치면 휴전을 하고 오랜 장마 끝의 짧은 햇볕처럼 인류는 잠시 평화를 맛본다. 싸우지 않고 사는 평화도 사람의 일이요, 평화를 깨고 다시 싸우는 것도 사람의 일이다. 사람 사이에 분쟁과 갈등의 골이 깊어 파탄이 생기고 작게는 다툼에서부터 크게는 전쟁이 벌어진다.

이 지긋지긋한 전쟁 너머에 또 하나의 무시무시한 전쟁이 있다. 빛의 아들들과 어둠의 자식들 간에 벌이는 영적 전쟁이다. 영혼을 담보로 싸우는 이 전쟁은 일분일초의 쉼도 없다. 바로 이 순간에도 헤아릴 수 없이 많은 영혼이 지옥의 심연(深淵)으로 떨어진다. 천하보다 귀한 영혼을 천국으로 이끌 이 싸움에서 패배는 부끄러운 일이다. 주님이 승리하셨기 때문이다.

하나님께 도전했던 사탄은 십자가의 일격에 케이오(KO)되었다. 그의 분노는 이제 주님의 몸에게 쏟아지고 있다. 일종의 복수전인 셈이다. 주님의 몸을 이루는 그리스도인들을 향한 사탄의 증오는 깊고 질기다. 영적 무장을 철저히 해서 전략적으로 임하지 않으면 치명적일 수 있다.

야곱의 일생은 투쟁으로 얼룩졌다. 세상적으로 볼 때 그는 뭔가 쟁취하기 위해 수단과 방법을 가리지 않고 싸웠다. 그것이 형제와 등지고 부모와 생이별을 하는 것이라 해도 개의치 않았다. 친척이나 이웃은 안중에도 없었다. 그랬던 그가 정체 모를 방문자와 얍복 나루터에서 씨름판을 벌였다. "인생은 무용(dancing)이 아니라 레슬링(wrestling)"이라고 표현한 에픽테토스(Epictetus, 2세기 초 스토아학파의 철학자)의 말처럼 야곱은 강적과 레슬링을 했다.

처음으로 벅찬 상대를 만난 야곱은 자신의 모든 능력을 쏟아붓고 평소처럼 승자가 되려고 했지만 그 밤의 씨름에서는 그러지 못했다. 패배를 인정할 수 없었던 그는 복을 구했고 상대는 야곱의 환도뼈의 큰 힘줄을 쳤다. 강제로라도 그가 굴복의 아픔을 겪게 했다. 야곱은 손을 놓았고 상대는 떠났다. 씨름꾼이 떠난 자리에 하나님이 나타나셨다. 하나님은 야곱을 승리자로 인정해 주셨다.

과연 천사가 이길 수 없을 만큼 야곱이 강했을까? 노련한 낚시꾼이 월척을 낚아 올리기 전에 줄을 풀었다 당겼다 하면서 대어의 기운을 빼듯이 천사는 야곱의 기운을 빼고 있었다. 그의 욕망과 집착의 근원을 송두리째 뽑아 버리고자 한 것이다. 야곱을 지탱시키고 힘을 날라 주던 큰 힘줄이 끊어졌다. 야곱은 다리를 절었다. 고집과 탐욕과 술수는 깨어졌다. 야곱은 지난밤의 씨름이 일생에서 가장 소중한 한판이었음을 뒤늦게나마 깨달았다.

우리는 그동안 싸우지 않아도 될 사소한 일들에 매달려 있었다. 큰 싸움에 임하기도 전에 자질구레한 것들과 씨름하느라 진이 빠지고 맥이 풀려서 그야말로 기진맥진한 상태에 놓였다. 세상적인 일들에 영력이 거의 소진되어 버렸다. 우리의 영적 전력에 차질이 난 것은 혈과 육에 대한 싸움이 전부인 줄 알고 거기에 매달렸기 때문이다.

우리는 더 본질적이고 거친 싸움에 임해야 한다. 그것은 우리가 진지하게 생각해 보지 못했던, 우리도 모르는 사이에 진행되어 왔던 싸움이다. 현세에서 내세까지 이어질 이 싸움에 전력을 다해야 한다. 영적 전쟁의 실체를 안 이상 이제는 뒤로 물러설 수 없는 한판이 되었다. 그리스도인으로서 우리는 싸움에 탁월한 전사가 되어야 한다. 종말에 구성될 주님의 군대에서 선봉에 서기 위해 스스로를 용사로 가다듬어야 한다.

이 시점에서 우리에게 필요한 것은 하나님과의 싸움이 아니라 씨름이다. 하나님과의 씨름은 사탄과의 영적 전쟁에서 싸울 힘을 비축하게 한다. 승리자(이스라엘)라는 용사의 인증을 받기 전에는 승리자 주님을 제대로 따를 수 없다. 요압이 하나님의 백성과 하나님의 성읍들을 위해 싸우고자 고르고 고른 자 중의 하나가 되어야 한다(삼하 10:9-12). 게임도 싸움처럼 하는 사람들이 있는데, 인생과 신앙의 한판 승부를 게임처럼 즐길 수는 없다. 죽으면 모든 것은 끝장이다. 죽기 전에 싸우고 싶다. 싸워서 이기고 싶다.

우리는 과연 싸우고 있는가?

우리는 싸운다!

캘리포니아의 프리몬트에서

한명철 목사

1부

당신은 강한 용사인가?

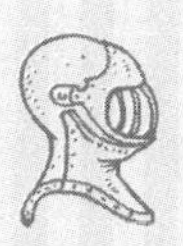

우리는 그리스도가 이루신 승리를 보전하는 싸움에 부름받았다.
하나님과 마귀의 대격전은 이미 끝났다.
전면전에서는 이미 이겼다.
이제 산발적으로 일어나는 국지전에서도 이겨야 한다

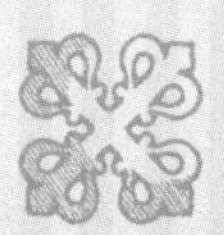

하나님은 인간을 위한 목적을 지니고 계셨다. 그것은 선하고 아름다운 뜻이었다. 그러나 하나님의 첫 피조물은 하나님의 기대를 저버리고 죄를 범했다. 아담과 하와는 동산 중앙에 있는 생명나무를 외면하고 금지 대상이었던 선악을 알게 하는 나무를 취했다.

그들은 서로를 살피지 못하고 공범자가 되었다. 인류의 조상인 그들은 자신들의 행동이 인류에게 어떤 해악을 끼칠지 전혀 알지 못했다. 영계에서 이루어진 영적 전쟁이 인간 역사에 드러난 순간이었다. 이로 인해 인간 창조를 통한 하나님의 세계 경영에 수정이 불가피하게 되었다.

거룩한 뜻이 굽어졌지만 깨진 것은 아니었다. 하나님의 마스터플랜(Master plan)은 변함이 없었다. 모든 것을 아시는 하나님의 영원한 계획 속에 인류의 타락은 이미 예견되어 있었다. 그래서 하나님은 장차 여자의 후손과 뱀의 후손 간에 일어날 싸움을 예언하셨다. 수천 년에 걸쳐 진행될 싸움의 결과까지 말씀하셨다.

아담의 두 아들에서 시작된 영적 전쟁의 그림자는 주님의 십자가에서 절정을 이루었다. 사탄은 모든 힘과 지혜와 전략을 총동원하여 하나님의 아들에게 집중포화를 가했다. 그렇게 주님은 십자가에서 죽으셨고 아들을 통한 회복을 기다려 오던 만물은 잠잠했다. 여자의 후손은 상처를 입었다. 마귀는 기뻐했고 지옥에는 불의 축제가 계속되었다.

그러나 그들의 환희는 오래가지 못했다. 단 사흘 만에 주님이 부활하셨다. 주님은 사망으로 사망의 권세를 잡은 자인 마귀의 권세를 깨트리고 하나님의 능력으로 일어나셨다. 사탄의 머리가 으깨졌다. 마귀는 허를 찔리고 축제장은 분노와 통곡의 심연으로 뒤바뀌었다. 극적인 반전이었다.

영적 전쟁에서 완패한 사탄에게는 족쇄가 채워졌다. 영원할 것 같던 그의 활동은 마지막 심판 직전까지로 한정되었다. 그는 자신의 자리를 빼앗겼다. 마귀는 자신을 추종하던 타락한 천사들을 이끌고 지상으로 내려왔다. 성경은 그들이 하늘에서 내쫓긴 모습을 그림처럼 묘사했다.

> 땅과 바다는 화 있을진저 이는 마귀가 자기의 때가 얼마 남지 않은 줄을 알므로 크게 분 내어 너희에게 내려갔음이라(계 12:12)

이제 세상은 그의 마지막 활동 무대가 되었다. 하나님이 이를 허락하셨다. 그에게는 어느 정도 세상에 대한 영향력이 주어졌다. 주님은 그를 세상 임금이라 불러 악한 세상에 대한 그의 통치권을 인정하셨다. 그의 주 타깃은 주님의 몸 된 교회다. 교회를 상하고 망하게 하는 것이 주님께 상처를 입힐 것이라 여기기 때문이다.

온 세상은 악한 자에게 속해 있다. 믿지 않는 자들은 이미 사탄에게 속해 있다. 영혼의 주권에 대한 문제는 인간이 선택할 수 있는 문제가 아니다. 믿으면 하나님께 속하지만 믿지 않으면 악한 자 곧 마귀에게 속한다. 믿지 않는 사람은 본인의 뜻과는 상관없이 모두 사탄의 영향 아래 있다. 우리도 주님을 영접하기 전에는 마귀가 이끄는 대로 따라다녔다.

> 그때에 너희는 그 가운데서 행하여 이 세상 풍조를 따르고 공중의 권세 잡은 자를 따랐으니 곧 지금 불순종의 아들들 가운데서 역사하는 영이라 (엡 2:2)

교회는 전투 공동체다. 치열한 전투의 현장인 십자가에서 시작된 교회이기에 이 싸움을 피할 길이 없다. 지상 교회는 그래서 전투하는 교회(ecclesia militans)라 불린다. 우리의 싸움은 육신을 위한 투쟁이 아니다. 영적 실체들과 싸우는 영적 전쟁이다.

> 우리의 씨름은 혈과 육을 상대하는 것이 아니요 통치자들과 권세들과 이 어둠의 세상 주관자들과 하늘에 있는 악의 영들을 상대함이라(엡 6:12)

모든 신실한 성도는 그리스도의 좋은 군사다. 교회는 영적 전쟁의 최전선이며, 승리의 보루다. 그리스도인 공동체의 신앙 고백 위에 세워진 교회는 음부의 권세가 감히 이기지 못한다. 지옥 불에 던져질 운명의 사탄은 하나님께 상처를 주려고 할 수 있는 한 많은 영혼을 자기와 함께 지옥으로 데리고 가려 한다. 사탄이 자신의 목적을 많이 이룰수록 하나님은 자식 잃은 부모처럼 상처를 받으신다. 사탄의 존재 목적은 오직 하나님께 반역하는 것이다. 모든 활동의 초점이 이 지상 목적에 맞춰져 있다.

그리스도인의 삶과 사역에서 영적 싸움은 불가피하다. 승리자가 되기 위해서는 먼저 자신이 싸우는 싸움을 이해해야 한다. 전쟁에는 반드시 승자와 패자가 있다. 모든 전쟁에는 휴전이나 종전이 있지만 영적 전쟁에서는 매 전투에서 겪는 승패의 경험과 끝나지 않는 전쟁이 있을 뿐이다.

1장

누구를 위해 싸우는가?

믿음의 선한 싸움을 싸우라 영생을 취하라
이를 위하여 네가 부르심을 받았고
많은 증인 앞에서 선한 증언을 하였도다
담전 6:12

인생이 싸움이라면, 사람들은 우선 자신을 위해 싸운다. 자신의 가치관에 따라 어떤 이는 꿈을 위해, 어떤 이는 사랑을 위해, 또 어떤 이는 이념을 위해 싸운다. 그리스도인은 싸우는 자다. 기독교가 호전적이라는 말이 아니다. 다만 영적인 관점에서 빛과 어두움, 선과 악, 하나님과 사탄, 진리와 거짓처럼 충돌이 불가피한 경우에 그리스도인은 싸움을 회피할 수 없다는 뜻이다. 그리스도인은 누구를 위해, 그리고 무엇을 위해 싸워야 하는가?

바울은 일생 동안 선한 싸움을 싸웠다. 회심한 후부터 영적 전쟁의 최전선을 누비며 사투를 벌였던 백전노장 바울은 믿음의 아들 디모데에게 유언 같은 부탁을 남겼으니 곧 선한 싸움이다. 경주의 결승 지점을 눈앞에 두고 감회에 젖은 고백을 했다.

> 나는 선한 싸움을 싸우고 나의 달려갈 길을 마치고 믿음을 지켰으니 (딤후 4:7)

그의 짤막한 말 속에는 아무런 후회도 없는 완주자의 자부심이 배어 있다.

그리스도인은 위로부터의 부르심을 향해 좇아간다. 이는 구원의 여정이다. 하나님은 믿는 자의 마음속에 착한 일을 시작하셨고 그 일을 그리스도 예수의 날까지 이루신다. 착한 일은 곧 구원이다. 우리는 우리를 위한 하나님의 소원을 이루어 드려야 한다. 우리가 자신의 구원을 이루기 위해 애쓰는 것이 곧 하나님을 위한 싸움이 되는 것이다.

한편 우리 자신의 영적 유익이라는 측면에서 이 싸움은 우리를 위한 싸움일 수 있다. 자신을 위한 싸움이면서도 이기적이지 않은 싸움, 이것이 영적 싸움의 진면목이다. 이 싸움은 전적으로 하나님과 하나님 나라를 위한 싸움이기 때문이다. 그래서 자신의 왕국을 다스리는 사탄은 이 일을 집요하게 방해한다. 영적 싸움의 현장은 그리스도인의 전 생활 영역에 미친다. 심령에서 이루어지는 이 싸움은 치열하기 짝이 없다.

도스토예프스키는 인간의 마음을 하나님과 악령의 싸움터로 통찰력 있게 갈파했다. 그리스도인이 자신의 마음에서 벌어지는 전투에서 싸움의 주체가 되어 하나님과 하나님 나라를 위해 싸우는 것은 얼마나 영광스러운 일인가! 그리스도인은 거룩한 싸움꾼이 되어 적을 다뤄야 한다. 마음에 심어진 구원의 씨를 훔쳐 가려는 악령의 역사를 부단히 경계해야 한다. 그것이 마귀와 벌이는 영적 싸움의 시작이다.

하나님의 이름을 위해 싸운다

그리스도인은 여호와를 위해 싸운다. 여호와를 위한 싸움은 여호와의 이름을 위한 싸움이다. 이는 하나님의 영광을 지키기 위한 경건한 싸움이다. 소년 다윗이 무모한 싸움에 뛰어든 것은 치기 어린 만용이 아니었다. 그에게는 싸워야 할 충분한 이유가 있었다. 하나님의 영광스러운 이름이 훼손을 당해도 이스라엘의 많은 용사들 중 그 누구도 분개하지 않았다. 다윗은 하나님의 이름을 위하여 하나님의 진노를 격발했다.

적장 골리앗은 하나님의 군대를 모욕했으나 아무도 골리앗의 도전에 응하지 못했다. 용사 사울과 이스라엘의 대장들은 골리앗을 꾸짖지 않았다. 신앙이 사라지자 용기도 꺾이고, 싸울 의욕이라곤 눈곱만큼도 없었다. 모욕은 계속되었고 영광의 구름은 점차로 거두어졌다. 바로 그 순간 다윗이 모욕당하던 여호와의 이름을 내걸고 골리앗을 향해 달렸다. 폭풍우처럼 거칠게 거인을 향해 물맷돌을 날렸다. 되살아난 여호와의 영광이 빛보다 빠른 속도로 골리앗의 영혼을 때렸고, 이어서 돌이 그의 이마에 박혔다. 다윗은 전광석화(電光石火)처럼 골리앗의 검을 뽑아 들고 그의 목을 베었다.

그날 엘라 골짜기에는 시간이 멈춘 듯 무서운 정적만이 한동안 지속되었다. 골리앗과 블레셋 군대가 내뱉던 거대한 함성도 이미 다윗의 일갈(一喝)에 묻혀 버린 후였다.

참으로 소름 끼치는 장면이 아닌가? 지금 그 누가 욕을 당한 하나님의 이름 때문에 분노하며 불가능의 벽에다 자신의 머리를 찧을까? 계란으로 바위를 치는 것보다 더한 무모함으로 용사의 함성을 발할 자는 과연 어디에 있는가? 여기저기에서 하나님의 이름을 모욕하는 골리앗의 고함 소리가 지축을 뒤흔드는데 하나님의 이름을 변호하는 소년 다윗의 청아한 음성이 들리지 않는다. 패장들이 이끄는 패잔병들만이 곳곳에 숨어서 떨고 있다. 이 시대의 소년 다윗은 아직도 베들레헴의 양치기로 남아 있는 것일까? 영적 격전지에 소년 다윗이 없다면 실로 이 시대의 비극이 아닐 수 없다. 자신의 싸움을 버리고 여호와의 싸움에 목숨을 걸 용사가 한없이 그립다.

유다 왕국이 모압과 암몬과 에돔의 일족인 세일 군대로 구성된 동맹군의 침공을 받았을 때 여호사밧 왕은 금식을 공포하고 하나님 앞에 엎드려 부르짖었다. 여호사밧은 기도 속에서 오직 주님만 바라보았다. 강적의 위협에도 불구하고 그의 눈길은 하나님에게서 떠날 줄을 몰랐다. 그때 레위 지파에 속한 야하시엘에게 하나님의 신이 임했다. 하나님이 그들 대신에 전쟁의 최전선을 맡으셨다.

> 이 전쟁은 너희에게 속한 것이 아니요 하나님께 속한 것이니라
> (대하 20:15)

이후 암몬과 모압 군사들은 세일 산에서 온 군사들을 대항해 일어나 세일 사람들을 죽였다. 세일 군사들을 다 죽이고 나서는 자기들끼리 서로 죽였다. 유다 백성이 들 망대에 이르렀을 때는 적들의 시체만이 즐비했다. 하나님의 도우심으로 기적적인 승리를 얻은 여호사밧 왕과 유다 백성이 전승을 기념하면서 여호와를 송축함으로 브라가 골짜기가 생겨났다.

여리고 성 전투에서도 이스라엘 군대는 하나님이 그들 대신 싸워 주시기에 별로 할 일이 없었다. 산헤립이 예루살렘을 포위하고 겁박했을 때 역시 하나님이 그들을 대신하여 싸우셨고, 이 패전의 여파로 앗수르 제국의 융성했던 국운은 기울어지기 시작했다.

싸움과 승리의 원리는 간단하다. 우리가 하나님의 싸움을 대신해서 싸우면 하나님은 우리의 모든 싸움을 대신 싸워 주신다. 다윗은 이 비결을 알았다. 그는 기도드렸다.

여호와여 나와 다투는 자와 다투시고 나와 싸우는 자와 싸우소서(시 35:1)

여호와의 싸움을 해 왔던 그가 인생의 크고 작은 싸움을 싸워야 했을 때 하나님이 대신 싸워 주셨음을 고백한다. 이 시편에는 기도와 기쁨과 찬양이 가득하다. 여호와의 싸움에 앞장서는 것이 영적 전쟁에서 승리를 확신하는 길이다.

하나님 나라를 위해 싸운다

그리스도인은 하나님 나라와 그 의를 구할 뿐 아니라 그 나라를 위해 싸워야 한다. 그리스도인은 하나님 나라의 백성이다. 천국의 시민이다. 하나님 나라를 위한 싸움은 하나님의 백성으로서 그분의 백성답게 사는 길이다. 이것이 출발점이어야 한다. 하나님 나라의 백성이라는 자기 정체성, 천국 시민이라는 영적 자화상이 분명하지 않고서는 싸움의 의미가 없다.

하나님 나라에는 국경선이 없다. 영적 지도는 나날이 바뀌고 매 순간 바뀐다. 한 영혼이 천하보다 귀하니 구원받는 성도의 숫자에 따라 천하의 크기가 늘었다 줄었다 한다. 하나님 나라는 정해진 공간이 따로 없다. 하나님의 통치가 실현된 인간의 마음이 천국의 공간이다. 사람의 마음에 숨은 형태로 있으니 사람의 눈으로는 볼 수 없다.

> 하나님의 나라는 볼 수 있게 임하는 것이 아니요 또 여기 있다 저기 있다 고도 못하리니 하나님의 나라는 너희 안에 있느니라(눅 17:20-21)

하나님 나라는 복음 증거로 인해 귀신들이 항복하고 사탄이 추락하여 잃었던 영혼들이 하나님께로 돌아오는 역사의 현장이다. 이 나라를 많은 임금과 선지자들이 그토록 보고 듣기를 원했지만 이 복은 전도자의 몫으로 남겨졌다.

주님은 칼로 확장된 세상 왕국을 원하지 않으셨다. 세상 왕국을 원하셨다면 마귀와의 시험에서 적당히 타협하는 길을 걸으셨을 것이다. 세상 왕국이 하나님 나라가 될 수 있었다면 베드로가 말고의 귀를 베었던 그 칼로 총독과 로마 황제의 목을 그었을 것이다. 세상 왕국이 하나님 나라를 조금 닮기라도 했다면 주님은 최고 수준의 용사들로 제자 그룹을 형성하셨을 것이다. "네가 유대인의 왕이냐?"라는 빌라도의 질문에 주님은 말씀하셨다.

> 내 나라는 이 세상에 속한 것이 아니니라 만일 내 나라가 이 세상에 속한 것이었더라면 내 종들이 싸워 나로 유대인들에게 넘겨지지 않게 하였으리라 이제 내 나라는 여기에 속한 것이 아니니라(요 18:36)

의아하게 여긴 빌라도가 재차 물었다.

"네가 왕이 아니냐?"

주님의 답변은 짧고 분명했다.

"내가 왕이니라."

주님은 빌라도가 생각하던 부류의 왕이 아니라 천국의 왕이셨다. 하나님 나라의 통치자이신 하나님의 아들은 세상 왕국의 대리자를 향해 자신의 왕권을 선포하셨다.

하나님 나라를 위한 싸움은 곧 하나님 나라를 이 땅에 확장하는 것이다. 물론 하나님 나라는 이 땅에 건설될 수 없다. 보이지 않는 왕국의 확장은 내적인 확장을 의미한다. 하나님 나라를 확장하라는 말은 세상에서 그리스도인의 영향력을 넓혀 가라는 뜻이다. 하나님 신앙으로 철저히 무장해서 세상의 요소를 차지하고 영적 영향력을 극대화하라는 말이다.

요셉은 애굽의 총리가 되어 하나님의 지도력으로 중근동(中近東)의 수많은 생명을 살렸다. 모르드개는 바사의 실권자가 되어 멸족의 위기에 놓인 자기 민족을 구원시켰다. 그의 선정(善政)으로 인해 하나님 나라의 기운이 바사 제국 전체로 뻗어 나갔다. 다니엘은 여러 이방 왕을 섬기면서 하나님의 도구로 제한 없이 쓰임 받았다. 그의 신앙이 정책에 두루 반영되었다. 다니엘을 해치려는 어떤 시도도 성공하지 못했다.

또한 하나님 나라를 확장하라는 말은 전도를 통해 그 나라에 속한 백성을 늘리라는 뜻이다. 바울이 죽기 직전에 믿음의 아들 디모데에게 남긴 권면에 이 사실이 잘 드러나 있다.

> 하나님 앞과 살아 있는 자와 죽은 자를 심판하실 그리스도 예수 앞에서 그가 나타나실 것과 그의 나라를 두고 엄히 명하노니 너는 말씀을 전파하라 때를 얻든지 못 얻든지 항상 힘쓰라(딤후 4:1-2)

마귀는 모세의 시체를 두고도 천사장 미가엘과 다투었는데, 인간 영혼을 빼앗기 위해 무슨 짓을 못할 것인가? 전도는 영혼을 지키고 빼앗으려는 성도와 마귀 간의 영적 전투다.

2장

누가 강한 용사인가?

어떤 사람은 병거,
어떤 사람은 말을 의지하나
우리는 여호와 우리 하나님의 이름을
자랑하리로다
시 20:7

용사는 전쟁의 날을 위해 예비되었다. 죽음을 두려워하지 않으면서 죽기를 거부한다. 용사는 일당백, 일당천의 기상을 지녔다. 용사에게는 익숙한 무기가 있다. 관우에게는 청룡언월도가, 장비에게는 장팔사모가 있었듯이 모든 용사에게는 손에 익숙한 비장의 무기가 있다. 용사마다 익숙하게 다루는 무기는 다를지라도 그들을 존재하게 하는 용기는 모두가 같다.

용사에게 용기란 호흡과 같다. 용사는 두려움이 전혀 없는 싸움꾼이 아니다. 용사에게도 두려움은 있다. 다만 두려움을 피하지 않고 대적할 뿐이다. 두려움을 대적하여 싸움으로 극복하고 정복한다. 보통 군사와 다른 점이 바로 이것이다. 일반 병사는 두려워해야 할 적과 두려워할 필요가 없는 적을 구별하지 못한다. 용사는 두려워할 자를 두려워한다. 감당하기 어려운 상대일수록 자신을 철저히 준비시켜 필승의 의지를 불태운다.

인류 역사의 많은 부분을 차지하는 것이 전쟁이다. 전쟁은 용사를 탄생시킨다. 용사는 영웅의 다른 이름이다. 용사에게는 펄럭이는 깃발이 있고 사람들은 바람에 나부끼는 그 깃발 주위로 모인다. 용사는 장벽을 제거하는 자(barrier-breaker)다. 근심거리를 없애는 자(worry-killer)

다. 용사의 창검은 녹슬어도 그들의 용맹은 녹슬지 않는다. 무덤은 폐허가 되어도 그들의 무용담은 신화가 되고 불씨가 되어 사람들의 가슴 속에 남아 있다.

승패의 갈림길은 여호와께 달렸다

구약은 신약에 비해 전쟁 기사가 많이 실렸다. 이스라엘이 씨족 국가에서 부족 국가를 거쳐 왕국을 이루기까지의 과정이 기록되었기에 전쟁 테마가 많다. 자연히 이스라엘의 하나님 여호와는 전쟁에 능하신 분으로 묘사되었다. 용사 이미지는 그래서 생겨난 것이다. 특히 사사기는 용사이신 하나님이 고난 속에서 회개하여 여호와께로 귀순한 백성을 위해 용사를 일으켜서 구원하신 이야기다. 여호와 하나님은 크고 강한 용사이시다. 모세는 이스라엘을 바로의 손아귀에서 건져 내신 하나님을 찬양하며 목소리를 높였다.

> 여호와는 용사시니 여호와는 그의 이름이시로다(출 15:3)

하나님은 백성들을 위한 싸움에서 늘 선두에 서셨다. 놀랍고 기이한 구원은 오직 하나님이 이루셨다. 그들은 가만히 서서 바라보기만 하면 되었다.

하나님은 그분의 권능을 시험하는 바로와 그의 배경이 되었던 애굽의 강한 신들을 때려눕히셨다. 길이 막힌 바다에서 길을 뚫어 인도해

내시고 길이 없는 사막에서 길이 되어 성결한 처소로 이끄신 분은 용사이신 여호와였고 그의 권능과 은혜였다. 대제국 애굽을 수치에 잠기게 하고 비참한 노예 민족을 해방시키신 권능의 역사는 바람을 타고 물결을 따라 세상에 퍼져 갔다.

열방은 놀라고 호전적인 민족은 두려움에 싸이고, 에돔의 방백과 모압의 영웅들이 떨고 가나안 원주민들이 낙담했다. 이스라엘 민족에게 강한 용사가 나타나셨기 때문이다. 제왕들의 목을 꺾으시고 신들을 징벌하시는 그 서슬 푸름에 세상은 할 말을 잃었다. 세상의 군왕들이 떨고 이방의 집권자들이 두려워한 것은 모세나 아론이 아니었다. 강하신 여호와, 용사 중의 용사이신 그분의 거대한 팔이었다.

선민이었지만 430년이란 장구한 세월 동안 종살이를 해야 했던 이스라엘 민족은 이제 자신들을 돌보신 전능의 하나님을 신뢰하지 않을 수 없었다. 그들이 여호와의 편에 서 있는 한 하나님은 그들에게 승리의 깃발이 되어 주셨다.

다윗이 이스라엘의 용사인 것은 그가 용사이신 하나님에게서 가르침을 전수받았기 때문이다. 하나님을 위한 싸움에서 늘 선봉이 되기를 원했던 다윗에게 하나님은 손수 전략과 전술을 알려 주셨다. 사울을 지지하는 열 지파들과 다윗을 지지하는 두 지파 사이에 전쟁이 계속될 때 성경은 다윗의 승리를 예견했다.

> 사울의 집과 다윗의 집 사이에 전쟁이 오래매 다윗은 점점 강하여 가고 사울의 집은 점점 약하여 가니라(삼하 3:1)

숫자로 보나 정황으로 보나 다윗의 승세는 불가능했다. 다윗의 진영은 그들의 대적이 못 되었다. 그러나 승패의 갈림길은 용사이신 여호와께 있었다. 다윗이 용사이신 여호와를 따랐기에 용사의 강한 팔이 다윗 진영에 드리워졌다. 성경은 다윗의 강대함과 승리의 비결이 어디에 있었는지 말한다.

만군의 하나님 여호와께서 함께 계시니 다윗이 점점 강성하여 가니라 (삼하 5:10)

시간이 조금 지난 후에 다윗은 드디어 싸울 때마다 늘 이기는 상승장군이 되었다. 승리의 원천이신 여호와께서 용사 다윗에게 승리의 월계관을 씌어 주셨다.

다윗이 어디로 가든지 여호와께서 이기게 하시니라(삼하 8:6)

다윗은 자신의 승전 이야기를 그림 그리듯 자세히 서술했다. 용사이신 하나님이 다윗의 손을 가르쳐 싸우게 하셨고 그의 손가락을 가르쳐 적을 치게 하셨다. 용사, 그의 이름은 여호와이시다. 패배의 수치가 없으신 하나님은 무한한 영광만 있다. 그분은 실로 막강하고 전능하신 하나님이다.

십자가에서 죽으심으로 일시적인 패배를 한 것처럼 보였던 주님은 부활로 대승을 거두셨다. 승리자이신 주님의 영광이 요한의 환상 중에 잘 나타났다. 충신과 진실의 이름을 지니신 주님은 장차 백마를 탄 용사로서 하늘 군대를 이끄시고 입에서 나오는 예리한 검으로 만국을 치실 것이다. 용사, 그분의 이름은 만왕의 왕이요 만주의 주이신 그리스도다. 여호와의 용사 되심은 하나님의 백성이 고난의 극점에서 이해한 살아 있는 경험이었다.

예언자들은 하나님이 원수 마귀가 두려워할 용사이심을 믿고 소망했다. 예레미야 선지자는 자신을 박해하는 비방자들(동족과 궁극적으로는 바벨론 제국)에게 두려운 용사로 임하실 하나님을 의지하며 힘을 얻었다. 나훔 선지자는 유다의 원수인 앗수르를 징벌하시는 보복자요 용사이신 하나님을 노래했다. 스바냐 선지자는 남은 자에 대한 신실함 때문에 만군의 하나님이 앗수르의 용사들을 징벌하실 재앙의 날을 기대했다. 하박국 선지자는 용사이신 하나님께 자기 민족의 구원을 호소했고, 요엘 선지자도 용사이신 하나님께 여호와의 용사들을 속히 보내주실 것을 간청했다. 아모스는 불의한 이스라엘에게 불같은 심판의 말씀을 전하면서도 구원의 핵인 남은 자들을 위해 용사이신 하나님이 만국을 심판하실 것이라고 소망했다.

우리가 섬기는 하나님은 "신 가운데 신이시며 주 가운데 주시요 크고 능하시며 두려우신 하나님(신 10:17)"이다.

용사는 특별히 구별한 존재다

누가 용사인가? 군사가 전쟁을 위해 뽑은 자라면 용사는 그들 중에서 특별한 목적을 위해 따로 구별한 존재다. 용사는 뺀 자 중에 뺀 자다. 용사의 숫자는 적어도 그들은 큰일을 이룬다. 하나님은 사람을 통해 일하시되 반드시 준비된 자, 곧 창조적 소수자를 통해 역사하신다.

주님 곁에는 늘 따르는 무리가 많았다. 70인의 추종 세력은 준제자 그룹이었다. 열두 제자는 열성적인 추종자들 중에서 선별한 이들이었다. 열두 제자들 중에서도 소위 중심권(inner circle)을 형성한 최측근인 베드로, 요한, 야고보가 있었다. 그들은 뺀 자 중에 뺀 자였다.

이스라엘은 인류 구원을 위해 하나님이 손수 뽑으신 민족이었다. 그래서 선민이라 부른다. 그들 중에서도 그리스도의 중심 사역을 위해 구별된 레위 지파(제사장)와 유다 지파(왕)는 뺀 자 중에 뺀 자였다. 한 시대를 맡아 거룩한 사명을 이룩할 진정한 일꾼 중의 일꾼, 지도자 중의 지도자였다. 하나님의 구원을 위한 최정예 요원은 영적 용사로서 뺀 자 중에 뺀 자다.

각종 미인 대회, 스포츠나 음악 경연대회 또는 영화제에서는 예선과 본선과 결선을 거친다. 기드온의 300명 용사는 예선전(3만 2,000명)과 본선(1만 명)을 거쳐 결선에 오른 이들로서 최후의 뺀 자 중에 뺀 자였다. 바알에게 무릎을 꿇지 않은 이스라엘의 남은 자요 씨인 7,000인도 뺀 자 중에 뺀 자였다.

주님이 십자가를 통한 구원의 길을 말씀하셨을 때 구름같이 모여들던 군중이 뿔뿔이 흩어졌다. 주님께 등을 돌리고 돌아서는 그들을 바라보시면서 주님이 "너희도 가려느냐(요 6:67)"고 물으셨다. 베드로가 제자들을 대표해서 대답했다.

주여 영생의 말씀이 주께 있사오니 우리가 누구에게로 가오리이까 우리가 주는 하나님의 거룩하신 자이신 줄 믿고 알았사옵나이다(요 6:68-69)

뺀 자 중에 뺀 자의 개념을 가장 확실하게 보여 주는 사건이 사무엘하 10장과 역대상 19장에 나온다. 이야기의 진원지는 전쟁터다. 사건의 발단은 한 사람의 죽음에서 시작되었다. 그것은 다윗의 친구요 암몬을 다스리던 나하스 왕의 죽음이었다.

원래 암몬은 이스라엘과 적대 관계에 있었는데, 다윗 시대에 두 나라는 밀월 관계를 유지했다. 다윗과 절친했던 암몬 왕 나하스가 갑자기 죽자 다윗은 조문 사절단을 급파해서 조의를 표했다. 다윗이 이렇게 한 데는 그럴 만한 이유가 있었다. 다윗이 나하스에게 은혜를 입었던 것이다. 그 내용이 무엇인지 성경은 언급하지 않지만 아마 다윗이 사울에게 쫓겨 다닐 때 받은 도움이었을 것이다.

나하스의 뒤를 이어 그의 아들 하눈이 왕좌에 올랐다. 그의 신하들이 다윗의 의도에 의문을 제기했다. 조문을 핑계로 성을 탐지하여 함락시키기 위한 계략이라며 하눈을 부추겼다. 이에 자극받은 하눈은 조문 사절단의 수염을 절반만 깎고 의복을 엉덩이가 드러날 정도로 오려서는 강제로 추방시켰다. 보고를 받은 다윗은 사절단이 여리고에서 수염이 자라기까지 머물 것을 명했다.

한편 하눈은 자신이 부친의 친구요 강대국의 통치자인 다윗을 욕보였다는 사실을 깨닫고 어전 회의를 소집했다. 하눈은 왕명으로 이스라엘에 대한 전쟁을 선포하고 전쟁에 이골이 난 벧르홉 아람 사람과 소바 아람 사람 2만 명, 마아가 사람 1,000명, 돕 사람 1만 2,000명, 도합 3만 3,000명의 용병을 고용했다. 전선의 급박한 보고를 접한 다윗도 용장 요압 장군에게 이스라엘의 용사들을 소집해 진군할 것을 명했다. 요압은 적군이 이스라엘을 앞뒤로 포위하고 있는 상황에서 이스라엘의 뺀 자 중에서 또 빼서 용병으로 구성된 강적 아람 군대에 맞서게 하고, 남은 용사들은 동생 아비새에게 맡겨 암몬 군대에 맞서게 했다.

뺀 자 중에 뺀 자는 다윗의 정예군이었다. 용사 중의 용사 그룹이었다. 그들이 강력한 적들을 깨트리고 영웅적인 승리를 쟁취할 수 있었던 것은 그들이 지닌 상부상조의 정신에 있었다. 이 정신은 요압 장군에게서 하달된 명령에 함축되어 있다.

> 만일 아람 사람이 나보다 강하면 네가 나를 돕고 만일 암몬 자손이 너보다 강하면 내가 가서 너를 도우리라(삼하 10:11)

요압 장군은 아비새 장군을 격려하면서 싸움의 성격을 명확히 규명했다. 아비새를 따르는 용사들과 요압 곁에 있던 용사들도 그가 내뱉는 말을 모두 들었다. 짧고 강한 격문이었다.

> 너는 담대하라 우리가 우리 백성과 우리 하나님의 성읍들을 위하여 담대히 하자 여호와께서 선히 여기시는 대로 행하시기를 원하노라(삼하 10:12)

요압은 이번 전쟁을 자신들의 전적을 쌓기 위한 기회로 여기지 않았다. 하나님의 백성과 하나님의 성읍을 위한 거룩한 싸움으로 간주했다. 그는 짧은 격려사를 기도로 끝맺었다.

이스라엘의 용사들은 기도의 날개를 달고 전투에 임했다. 말 그대로 펄펄 날았다. 다윗의 용사들은 각개 전투에도 능했지만 팀워크에서도 빛을 발했다. 소위 시너지 효과가 나타난 것이다. 용사와 용사의 집결은 천하무적이었다. 용사의 용사 됨은 팀 중에 약함이 발견되면 달려가 돕는 전우애에 있다. 전우애로 똘똘 뭉친 다윗의 용사들은 모두가 이미 수많은 전투에서 피를 나누었던 형제 같은 존재였다. 서로의 약점을 보강하면서 적을 밀어붙인 그들의 공세 앞에서 강적인 용병들이 먼저 달아났다. 용병들만 믿고 무모한 전쟁을 일으켰던 암몬의 본영(本營)은 그 모습에 전의를 상실하고 모두 성으로 후퇴하고 말았다. 이스라엘의 대승이었다.

요압은 이스라엘의 용사들을 이끌고 예루살렘으로 개선했다. 동맹군의 대패를 본 소바 아람의 통치자 하닷에셀("하닷은 도움이다"라는 뜻)은 다시 군대를 재편성해서 두 번째 전쟁을 일으켰지만 그의 이름과는 달리 전혀 도움이 되지 못했다. 그의 군대는 다윗이 친히 이끈 이스라엘 군대에게 참패를 당했다. 아람의 700병거와 4만 보병이 몰살을 당했다. 이스라엘의 완벽한 승리였다. 결국 이 전쟁은 동맹군에 소속되었던 모든 왕이 이스라엘과 주종 관계에 가까운 화친 조약을 맺게 했고, 아람 사람들은 두 번 다시 암몬 나라를 돕지 않으려 했다.

재능과 덕의 이중주

뺀 자 중에 뺀 자들이 하나님의 일을 수행함에 있어 상부상조한 또 하나의 사례가 있다. 하나님의 기적적인 도우심으로 애굽을 탈출한 이스라엘 백성의 진영으로 모세의 장인 이드로가 찾아왔다. 모세는 장인을 위해 잔치를 베풀고 이스라엘의 모든 장로를 초청하여 먹고 즐겼다.

이튿날 모세는 평소처럼 의자에 앉아 백성들의 송사를 다루고 있었다. 아침부터 저녁까지 재판을 기다리는 백성의 줄은 줄어들지 않았다. 이드로가 사연을 물었고 모세가 사정을 고했다. 이때 이드로가 모세의 재판 방식이 지혜롭지 못함을 지적하면서 한 가지 방책을 제시했다. 이드로의 방안은 바로 채택되었고 더 이상 재판 문제로 모세가 시간을 허비하거나 탈진할 염려가 없었다. 이 제도는 이스라엘 공동체를 오랜 세월 동안 강력히 유지시켜 온 직제의 시작이었다.

> 너는 또 온 백성 가운데서 능력 있는 사람들 곧 하나님을 두려워하며 진실하며 불의한 이익을 미워하는 자를 살펴서 백성 위에 세워 천부장과 백부장과 오십부장과 십부장을 삼아 그들이 때를 따라 백성을 재판하게 하라 큰일은 모두 네게 가져갈 것이요 작은 일은 모두 그들이 스스로 재판할 것이니 그리하면 그들이 너와 함께 담당할 것인즉 일이 네게 쉬우리라 (출 18:21-22)

뺀 자 중에 뺀 자를 선정하는 기준은 세밀하고 철저했다. 하나님의 백성을 재판하는 일에 아무나 세울 수도 없는 노릇이었다. 자격은 재주와 덕으로 이중적이었다. 재주는 능력의 문제요 덕은 사랑의 문제다.

재능은 운명의 DNA로 무언가 잘할 수 있도록 타고난 잠재력이다. 재능의 증거는 열망에 있다. 열정이 사라지면 남는 것은 상실감과 권태감이다. 열망이란 우리를 끌어당기는 마음속의 자력이며 우리를 행동하게 만드는 힘이다. 재능의 증거는 만족에도 있다. 일을 통해 자신의 영혼이 풍성해짐을 느끼면 재능이 있다는 증거다. 또한 재능의 증거는 빠른 학습 능력에 있다. "타고났다" "재주가 있다"는 표현은 다른 사람에 비해 일 처리나 배움의 속도가 월등함을 나타내는 말이다. 덕이 있음은 전적으로 사랑의 문제다.

뺀 자 중에 뺀 자가 갖추어야 할 자질인 재주(능력)와 덕(사랑)은 모두 하나님께 속했다.

> 하나님이 한두 번 하신 말씀을 내가 들었나니 권능은 하나님께 속하였다 하셨도다 주여 인자함은 주께 속하오니 주께서 각 사람이 행한 대로 갚으심이니이다(시 62:11-12)

이드로는 재덕을 두루 갖춘 자의 구체적인 표징으로 세 가지 요소를 말했다. 이 요소들은 모두 관계의 문제다. 하나님과의 관계에서는 모양만이 아닌 능력으로 드러난 경건함을 지녀야 한다. 타인과의 관계에서는 진실로 신뢰를 보여야 한다. 물질에 대한 문제에서는 불의한 이를 미워하는 청렴함이 있어야 한다. 이 요소들을 한마디로 표현하면 성실성(integrity)이라고 말할 수 있다. 성실성이란 처음과 나중, 안과

밖, 앞과 뒤가 다르지 않음이다. 이드로의 제안에는 4중 직제의 원리까지 담겨 있으니 이를 정리하면 다음과 같다.

분담성(分擔性)의 원리: "빼서, 삼아, 세워(출 18:21)"
재량성(裁量性)의 원리: "그들이 ~하게 하라(출 18:22전)"
협동성(協同性)의 원리: "함께 담당할 것인즉(출 18:22후)"
용이성(容易性)의 원리: "일이 네게 쉬우리라(출 18:22후)"

뺀 자 중에 뺀 자가 여호와의 용사일 수 있는 것은 그들이 보여 준 일관된 특징 때문이다. 우선 그들에게는 비범함이 있었다. 많은 평범함 속에서 돋보인 비범함이 그들을 대중 속에서 선택받게 만들었다. 주머니 속의 송곳처럼 그들은 감추려야 감출 수 없는 존재였다. 물론 그 뛰어남이란 획일적이지 않다. 어떤 이에게는 그것이 도덕적 감화력이나 영적 분별력일 수 있고, 다른 이에게는 통찰력이나 친화력일 수 있다.

뺀 자 중에 뺀 자가 보여 준 두 번째 특징은 그들의 상부상조 정신이었다. 서로를 돕는 이 태도는 위기 속에서 더욱 빛을 발했다. 강적을 도망가게 만든 것은 약한 곳을 수시로 보충하는 그들의 재빠른 전략 덕분이었다. 강한 자가 약한 자를 도와 모두를 이롭게 하는 것은 그리스도인 공동체에서 분명한 강점이다.

마지막으로 그들이 보여 준 용사의 특징은 사리사욕을 버리고 공동체의 유익을 도모한 점이다. 개인의 명성이나 이득을 추구하기 쉬운 세태 속에서도 오직 여호와와 여호와의 백성을 위해 전투 의지를 불태운 것이다. 이는 그들의 연대 의식과 공동체를 온전히 세우려는 궁극적 목적이 얼마나 분명했는지를 보여 준다. 이런 점이 그들을 용사의 반열에 들게 했다.

열등감을 극복한 기드온

성경에 등장하는 용사 중 기드온에 대해 살펴보자. 기드온은 자기 민족이 미디안의 종이 되어 고난 당하는 현실을 마음 아파했다. 그런 그에게 여호와의 사자가 나타나 말했다.

> 큰 용사여 여호와께서 너와 함께 계시도다(삿 6:12)

기드온은 므낫세 지파 중 가장 빈약한 가문에서도 가장 작은 존재였다. 용사의 면모는 부족했지만 하나님은 그런 약자를 택하셨다. 기드온 한 사람이 미디안 민족 전체를 마치 한 사람 치듯 다루게 될 것을 예언하셨다. 기드온은 이스라엘을 구원시킬 여호와의 칼이 되었다.

이스라엘을 해방시킬 전쟁에 지원자를 모집했을 때 기드온의 연설에 마음이 움직인 젊은이들이 3만 2,000명이나 몰려들었다. 그들을 바라보는 기드온의 마음은 어땠을까? 미디안과 아말렉과 동방 사람들로 이루어진 동맹군은 이스르엘 골짜기를 뒤덮고 승리를 위한 싸움을 준비하고 있었다. 적은 강하고 이스라엘은 약했다. 적은 강병이요 최신 무기로 무장하고 있었다. 이에 비해 이스라엘 지원 병력은 훈련 한번 제대로 받아 보지 못한 오합지졸이요 손에는 아무런 무기도 들려 있지 않았다. 그들에게 있는 것은 조국을 압제자의 통치로부터 해방시키겠다는 신념뿐이었다.

전쟁의 현실을 상기시키면서 각오를 다짐했을 때 길르앗 산에 모였던 백성 중 2만 2,000명이 빠져나갔다. 기드온은 기운을 잃었다. 그런 기드온에게 하나님은 그들을 한번 더 추려 낼 것을 명하셨다. 이유는 간단했다. 그를 따르는 백성의 숫자가 너무 많다는 것이었다. 3만 2,000명의 추종자들을 너무 많게 여기신 하나님은 만 명의 추종자마저 너무 많다고 숫자를 줄이셨다. 기드온은 많은 군사를 기대했지만 하나님은 적은 용사를 원하셨다. 많은 숫자로 이스라엘을 구원하면 그 영광이 기드온과 이스라엘 백성에게 돌아갈 것은 분명한 이치였다. 하나님은 구원이 사람의 숫자가 아니라 하나님의 의지에 달려 있음을 깨우치고자 하셨다.

이렇게 해서 구성된 것이 바로 기드온의 300명 용사다. 그들은 페르시아의 100만 대군을 맞아 테르모필레(Thermopylae) 협곡에서 3일간 용맹하게 싸우다가 장렬히 전사한 스파르타의 300명 용사에 버금갈 용사가 되었다. 하나님은 이 적은 용사 그룹을 통해 가장 극적인 승리를 이루셨다.

세상은 숫자의 힘을 믿지만 그리스도인은 수의 힘을 의지하지 않는다. 성경에 기록된 전투 기사에서 소수로 다수를 이긴 승리가 그 얼마인가? 세상은 싸움의 수단을 중시하지만 그리스도인은 그렇지 않다.

그리스도인에게는 세상이 생각하지 못하고 감히 이해할 수도 없는 무기가 있다.

> 어떤 사람은 병거, 어떤 사람은 말을 의지하나 우리는 여호와 우리 하나님의 이름을 자랑하리로다(시 20:7)

다윗이 그러하지 않았는가? 기드온의 300용사가 그러하지 않았는가? 나팔과 항아리 속의 횃불이 어디 전쟁 무기인가? 그 어두운 밤에 빛을 감추고 다시 밝히며 외칠 나팔 따위가 승리의 도구라고 누가 상상인들 하겠는가? 그들의 무기는 따로 있었다. 미디안 진영을 급습한 300용사는 항아리를 부수고 횃불을 높이 쳐들어 나팔을 불며 외쳤다.

"여호와와 기드온의 칼이여!"

그 누구의 손에도 한 자루의 칼이 쥐어지지 않았다. 그들에게 칼은 무엇을 의미하는가? 그것은 여호와의 이름이었다. 여호와의 이름이 기드온의 칼이었다. 그들은 그 칼로 미디안 사람을 한 사람 치듯 칠 수 있었다.

우리는 잠시 눈을 돌려 여호수아가 여리고 성을 함락하기 직전의 상황을 살필 필요가 있다. 여호수아가 백성을 이끌고 여리고 근처에 이르렀을 때 한 사람이 큰 칼을 빼어 들고 여호수아를 막아섰다. 여호수아는 그가 아군 편인지 적군 편인지를 확인했다. 칼을 빼어 든 사람이 여호와의 군대 장관임을 알게 된 여호수아는 자신의 칼을 칼집에 넣고 나직이 엎드렸다. 그리고 여호와의 군대 장관에게 지휘권을 넘겼다. 여호수아의 칼은 거둬지고 여호와의 군대 장관의 칼이 이스라엘의 선두를 지키게 되었다.

신을 벗고 엎드린 여호수아에게 여호와의 말씀이 임했다. 모든 군사는 창검을 거두고 매일 한 번씩 여리고 성을 엿새 동안 돌다가 칠 일째에는 성을 일곱 번 돌라고 하셨다. 언약궤를 뒤에 두고 일곱 양각나팔을 잡은 일곱 제사장이 선두에 서게 했다. 이것은 전투 대형이 아니었다. 가나안 복지의 관문이요, 가장 견고하고 큰 성인 여리고를 정복하기 위한 싸움치고는 너무도 엉뚱하고 우스꽝스러운 장면이었다. 그러나 여호수아의 명령은 지엄했고 백성은 그의 지시를 따랐다.

침묵의 엿새가 지나고 함성으로 천지가 진동할 일곱째 날이 되었다. 하나님의 명령에 따라 성을 일곱 번 돌기를 마치자 모든 백성이 큰 소리로 외쳤다. 뭐라고 외쳤을까? "여호와와 여호수아의 칼이여!"란 외침이 아니었을까? 군대 장관의 손에 들린 칼날이 여리고를 내리쳤다. 여호와의 군대 장관이 잡은 칼 곧 여호와의 이름이 여리고를 무너트렸다. 미디안의 용사들이 잡은 무수한 칼보다 큰 것은 보이지 않는 여호와의 칼 하나다. 용사는 적들의 창검을 믿지 않고 자신의 무기를 믿는다. 여호수아는 여호와의 이름이라는 칼을 믿고 의지했다.

기드온의 300용사를 용사 되게 한 것이 무엇인가? 무엇이 그들의 용맹함을 돋보이게 했는가? 여호와의 이름에 대한 절대적인 확신이 곧 승리의 비책이었다. 나라를 세우기도 하고 무너지게도 하시는 전능자, 자기 백성을 돌보시며 구원에 능하신 하나님에 대한 철석같은 믿음이 그들을 불세출의 영웅 반열에 들게 했다.

갈고닦은 훈련으로 용사로 태어난 잇사갈

야곱의 아홉째 아들, 잇사갈의 후손들도 뛰어난 용사였다. 야곱은 열두 아들에게 유언을 남기면서 그들을 따로따로 축복했다. 잇사갈의 차례가 되자 그는 예언적인 축복을 선언했다.

> 잇사갈은 양의 우리 사이에 꿇어앉은 건장한 나귀로다 그는 쉴 곳을 보고 좋게 여기며 토지를 보고 아름답게 여기고 어깨를 내려 짐을 메고 압제 아래에서 섬기리로다(창 49:14–15)

전반부의 예언은 그리 나빠 보이지 않는데 후반부는 아무리 좋게 해석해도 고난에 대한 예언임이 분명하다. 어찌 보면 잇사갈 지파의 운명은 피지배층에 속하여 노예처럼 누군가를 섬기는 것이었다. 모세의 축복에서는 스불론의 축복에 묻혀 버릴 지경이었다. 좋게 생각하면 야곱의 축복에서처럼 제자리를 지키는 차분함과 안정감이 있다는 정도였다.

잇사갈 지파의 출발은 미약하고 보잘것없었다. 그러나 모멸과 곤욕의 시간은 그리 길지 않았다. 잇사갈 지파는 3대도 안 지나 자신들의 운명을 바꾸었다. 갈고닦은 훈련이 그들을 용사로 태어나게 만들었다. 그들은 이미 용사가 되고 백성의 우두머리가 되어 있었다. 여선지자로 이스라엘의 사사가 된 드보라가 가나안 왕 야빈과 전쟁을 할 때 바락이 드보라를 거들기 전에 먼저 그녀의 곁에서 싸움을 이끌었던 이들이 바로 잇사갈의 방백이었다. 이 사실은 승전 후에 드보라와 바락이 부른 승전가에 드러난다.

> 잇사갈의 방백들이 드보라와 함께하니 잇사갈과 같이 바락도 그의 뒤를 따라 골짜기로 달려 내려가니 르우벤 시냇가에서 큰 결심이 있었도다 (삿 5:15)

다윗 왕국이 시작되면서 잇사갈의 후손들은 뛰어난 용사 그룹에 속해 있었다. 초원에서 풀을 뜯는 한가로운 나귀가 아니라 전쟁터를 누비는 명마가 되어 있었다. 잇사갈의 후손은 대를 이어 가며 용사 집단을 형성했다. 잇사갈의 직계에서만 2만 2,000명의 용사가 있었고 형제의 모든 종족을 합하면 큰 용사의 숫자가 무려 8만 7,000명에 달했다. 그들은 34만 822명의 이스라엘 군사 중에서 용맹함 때문에 따로 구분되었다. 그들은 운명에 속박되지 않고 자신들을 업그레이드시켜서 이스라엘에서 가장 유명한 용사 지파가 되었다. 그들 중에도 우두머리급인 200명은 더욱 탁월함을 돋보였다.

> 잇사갈 자손 중에서 시세를 알고 이스라엘이 마땅히 행할 것을 아는 우두머리가 이백 명이니 그들은 그 모든 형제를 통솔하는 자이며(대상 12:32)

200명의 탁월한 용사가 8만 명이 넘는 용사 집단을 통솔했다. 용장이 거느리는 용사들은 다윗 왕국의 초석이나 다름없었다. 그들은 시세를 아는 자들이었다. 시대의 흐름을 관통했다.

또한 너희가 이 시기를 알거니와 자다가 깰 때가 벌써 되었으니 이는 이제 우리의 구원이 처음 믿을 때보다 가까웠음이라 밤이 깊고 낮이 가까웠으니 그러므로 우리가 어둠의 일을 벗고 빛의 갑옷을 입자 낮에와 같이 단정히 행하고 방탕하거나 술 취하지 말며 음란하거나 호색하지 말며 다투거나 시기하지 말고 오직 주 예수 그리스도로 옷 입고 정욕을 위하여 육신의 일을 도모하지 말라(롬 13:11-14)

이는 역사의식이며 시대를 분별하는 통찰력이다.

잇사갈 지파의 두목들은 이스라엘이 마땅히 행할 바를 아는 지혜자였다. 인생의 목적과 나아갈 방향을 정확히 인식한 것이다. 이는 이스라엘이 통일왕국 시대와 분열왕국 시대를 거치면서 보여 준 실패와 비교하면 얼마나 중요한 일이었는지 알 수 있다.

하나님은 선민에게 마땅히 행할 길을 알려 주고자 율법을 주셨다. 그들은 때로 말씀을 준수하기도 했지만 대부분 말씀에 어긋나는 길을 걸었다. 불순종과 반역의 대가로 그들은 고난 속에서 연단을 받았다. 그들이 변화를 거부하자 하나님은 형제국인 이스라엘을 앗수르의 몽둥이로 치셨다. 유다 백성에게 경종을 울리기 위함이었다. 그러나 불행히도 유다는 교훈을 받지 못했다.

바벨론의 느부갓네살이 예루살렘을 침공하여 함락함으로 유다 왕국도 망했다. 예루살렘에 있던 일부의 극단적인 세력이 바벨론 왕이 세운 총독 그다랴를 암살하고 애굽으로 도주했고, 남은 백성이 불안에 떨면서 예레미야를 찾아와 부탁했다.

> 당신의 하나님 여호와께서 우리가 마땅히 갈 길과 할 일을 보이시기를 원하나이다(렘 42:3)

그들은 예레미야를 속이려고 했으나 하나님은 그들의 거짓 마음을 읽으셨다. 하나님이 예레미야를 통해 그들이 살길과 마땅히 행할 길을 보여 주셨지만 그들은 듣지 않았다. 이런 점에서 잇사갈 지파의 두목들이 마땅히 행할 바를 안 것은 놀라운 지도자의 덕목이었다.

바울이 아직 사울이었을 때 다메섹 도상에서 주님을 만나 순간 눈이 멀게 되었다. 자신을 부르는 이가 누군지 묻던 사울에게 주님이 말씀하셨다.

> 너는 일어나 시내로 들어가라 네가 행할 것을 네게 이를 자가 있느니라(행 9:6)

경건한 아나니아는 심정적으로 받아들일 수 없었던 사울을 주님 때문에 받아들였다. 그는 주님의 말씀에 순종하여 사울이 마땅히 행할 바를 알려 주었다. 그렇게 전대미문의 박해자는 위대한 복음전도자가 되어 자신이 행할 그 모든 일을 평생에 걸쳐 이루었다. 잇사갈 지파의 두목들 역시 이스라엘이 마땅히 행할 길을 따라 자신의 수하들을 이끌고 모든 군사를 격려했을 것이다.

잇사갈 용사들의 비범함은 과연 어디에 있는가? 기드온 300용사의 단순한 신뢰에 버금갈 만한 특징은 무엇인가? 그것은 시대의 흐름을 정확히 꿰뚫는 영적 안목, 사명에 대한 철저한 인식, 그리고 동료들을 자신의 깃발 아래 모아들이는 탁월한 지도력이었다.

주어진 운명을 돌파한 스불론

스불론은 또 어떠한가? 그의 형편은 잇사갈보다 더 나빴다. 야곱은 스불론을 탐탁하지 않게 여겼다. 그에게 주어진 예언은 축복이라고 보기에는 너무 평범하다.

> 스불론은 해변에 거주하리니 그곳은 배 매는 해변이라 그의 경계가 시돈까지리로다(창 49:13)

모세의 축복에서는 스불론의 입장이 잇사갈보다는 나았다.

> 스불론에 대하여는 일렀으되 스불론이여 너는 밖으로 나감을 기뻐하라 잇사갈이여 너는 장막에 있음을 즐거워하라(신 33:18)

해변에 머무르고 있던 그들이 뭍으로 나아갔다. 파도와 싸우며 세월을 낚던 그들이 산과 벌판을 달리며 영웅다운 기상을 펼쳤다. 그들도 잇사갈 지파의 후손들처럼 한계 지어진 운명을 돌파하여 드넓은 세계로 진출했다.

모세의 축복에서 한데 묶인 잇사갈과 스불론은 역대기의 전쟁을 위한 병적 조사에서도 한데 묶여 칭송받았다. 이 둘은 레아가 낳은 여섯 아들 중에서 다섯째와 여섯째로 어떤 형제들보다 친밀했을 것이다.

다윗에게는 잇사갈의 용사만이 아니라 그의 형제 스불론의 용사도 있었다. 성경은 그들의 특출함을 세밀하게 묘사하고 있다.

> 스불론 중에서 모든 무기를 가지고 전열을 갖추고 두 마음을 품지 아니하고 능히 진영에 나아가서 싸움을 잘하는 자가 오만 명이요(대상 12:33)

그들은 자신에게 익숙한 무기를 늘 휴대했다. 무기는 매우 다양했다. 자신의 달란트에 맞는 무기를 익힌 그들은 창과 칼과 화살과 각종 무기를 휘두르며 전선을 누볐다. 그들은 전열을 벗어나지 않았다. 적이 비 오듯 쏘는 화살을 두려워하지 않았다. 일사불란하게 한 팀이 되어 나아가고 물러가기를 계속했다. 그들이 창검을 피한 것이 아니라 창검이 그들을 피했다. 그런 두목을 따르는 부하들 역시 죽음을 불사하며 전투에 임했다. 두 마음을 품지 않고 한마음으로 싸웠다. 두려움을 버리고 오직 용기로 싸웠다. 이는 의심을 극복했다는 뜻이다.

바알에게 무릎을 꿇지 않았던 7,000명처럼 그들은 승리의 원천이신 하나님 편에 붙어 있었다. 패배의 가능성을 매장해 버리고 승리의 탑을 세워 갔다. 싸움이 벌어지는 곳이면 어디나 달려갔고 능수능란하게 싸움을 유리하게 이끌었다. 그 수가 자그마치 5만이었다. 이런 용사 그룹의 충성이 한 사람 다윗에게 집중되었으니 그는 이길 수밖에 없었다. 다윗은 승리의 버금 수레(second chariot: 애굽의 제2인자가 탈 수 있는 전차-편집자 주)를 타고 있었다.

스불론의 용사들은 이미 드보라의 므깃도 전쟁에서 잇사갈의 방백들과 더불어 그 용맹을 보인 바 있다. 드보라와 바락의 승전가에서 그들은 "죽음을 무릅쓰고 목숨을 아끼지 아니한 백성(삿 5:18)"으로 칭송받았다. 장자 지파인 르우벤 사람들은 참전 여부를 두고 무익한 논쟁만 벌였고 길르앗 사람들(므낫세 지파)은 요단 강 동편에 있다는 이유로 참전을 거부했다. 모두가 꺼리고 발을 빼는 전쟁에서 잇사갈과 스불론 두 지파가 결속하여 싸운 것은 그들의 용맹과 성실함을 여실히 보여 주는 대목이다. 스불론의 용사들에게는 사나운 전사 집단을 형제라는 울타리에 하나로 묶는 기술이 있었다. 이 뛰어난 결속력이 그들의 용기를 배가시켰다.

그렇다면 스불론의 용사다운 강점은 어디에 있을까? 5만의 대병력이 보여 준 집단적 일체감은 공동체 정신에 있어서 타의 추종을 불허한다. 그들이야말로 하나는 전체를 위하고 전체는 하나를 위하는 승리자들이었다. 한마디로 그들의 전투 능력은 최상급이었다.

한결같은 성실함으로 용사가 된 다윗

다윗은 여호와를 위한 용사였다. 다윗이 위험한 적진에서 용감무쌍하게 싸울 수 있었던 것은 하나님을 의지하는 마음이 철석같았기 때문이다. 다윗의 용맹은 순전히 하나님 신앙에 기초한 것이기에 그의 용사 됨은 하나님께로 말미암았다. 사울도 한때는 이스라엘의 용사였지만 그 용맹을 자기의 성을 구축하기 위한 수단으로 사용했을 때 그는 더 이상 이스라엘의 용사가 되지 못했다.

구국의 영웅 다윗의 기상은 위기의 순간에도 꺾일 줄을 몰랐다. 그런 그에게 날마다 사람들이 몰려들어 큰 군대를 이루었다. 많은 용사들도 몰려들었다. 억울하게 죽임을 당했던 우리아를 비롯한 30명의 장군은 왕국의 기초를 다진 용사들이었다. 그들을 이끌며 다윗의 심복이 되어 그림자처럼 다윗을 도운 요셉밧세벳, 엘르아살, 삼마는 용사 중의 용사였다. 그들은 탁월한 측근 중의 최측근으로서 다윗 왕국의 핵심을 이루었다. 다윗이 시글락으로 피신했을 때도 600명의 용사들이 다윗과 생사를 같이했다.

어떻게 해서 많은 용사들이 그에게로 몰려들었는가? 생명의 위협도 마다하지 않고 그를 따른 이유가 대체 무엇인가? 다윗에게는 그들을 끌어당기는 무형의 힘이 있었다. 그것은 용사 다윗이 품은 하나님 신앙이었다. 성경은 다윗의 용사들에 대해 자세한 설명을 하지 않는다. 그럼에도 그들의 이름만은 별과 같이 빛난다.

30용사들과 3인의 용사들은 다윗에게로 모여든 인재들이었다. 그들의 용사 됨을 이해하는 길은 그들이 따랐던 주군 다윗의 용사 됨을 이해함에 있다. 특히 골리앗과의 싸움을 기적적인 승리로 이끌었던 사건을 깊이 음미하는 것은 큰 용사에게로 모인 작은 용사들에 대한 설명이 될 것이다. 그의 위대한 신앙에 대한 묵상이 우리를 자극하지 않을까? 용사 다윗의 거울을 통해 다윗의 용사들을 들여다보려고 한다.

하나님께 대한 자석 같은 믿음

블레셋 군대가 이스라엘을 침공하여 에베스담밈에 진을 치자 이스라엘도 예루살렘 남서쪽 16마일 지점에 위치한 엘라 골짜기에 포진했다. 골짜기를 사이에 두고 양쪽 산에 거점을 확보한 양군이 소강상태에 있을 때, 블레셋 진영에서 싸움을 부추기는 자가 나와 외쳤다. 양군의 대표가 싸워 전쟁의 승패를 결정짓자는 도전이었다. 거인 골리앗의 고함에 이스라엘 왕과 병사들은 두려워 떨었다.

소년 다윗은 국민동원령에 따라 징집된 형들을 면회하러 갔다가 골리앗이 하나님을 모욕하는 말을 들었다. 다윗이 싸울 뜻을 비치자 세 형들은 야단을 쳤지만, 그의 용기를 가상히 여긴 어떤 사람이 다윗을 사울 왕에게로 인도했다. 어린 소년을 보고 실망한 사울 왕에게 다윗은 자신이 양 떼를 지킬 때 곰과 사자를 쳐 죽인 일과 하나님의 구원 경험을 이야기했다. 감동한 사울 왕은 다윗의 출전을 허락했고 다윗은 골리앗을 죽여 위기에 처한 이스라엘을 극적으로 구했다.

다윗이 골리앗을 이긴 비결은 용기 있는 신앙이었다. 국가의 재앙 앞에 모두가 전전긍긍할 때 다윗은 앞장을 섰다. 그는 원수에게 등을 보이지 않았다. 죽음이 기다리는 적장과의 대결로 나아갔다. 사울의 갑옷도 벗고 창검도 버린 채 오직 물맷돌만 챙겨 들었다. 소년 다윗은 원래 양을 치는 목동이지 용사가 아니었다. 나이 어린 소년이 적군 한 명과 상대하기에도 벅찰 텐데 이스라엘의 용사들과 병사들이 두려워 떨던 적장 골리앗을 향해 나아가 일격에 그를 죽였다.

무엇이 다윗에게 담력을 주었을까? 하나님 구원에 대한 믿음이었다. 사울 왕이나 그의 군대가 갖지 못한 불같은 신앙으로 철저히 무장한 것이다. 생명을 건지고 구원하는 능력이 오직 하나님 손에 있다는 신앙이 그로 하여금 자원병이 되게 했다. 짧은 목동 생활을 통해 위기에서 건지시는 하나님의 구원을 생생히 체험한 다윗은 그 어떤 절망 속에서도 담대할 수 있었다.

구원은 하나님께만 있다. 한 인간의 성공과 실패, 희로애락과 생사화복은 환경이나 우연의 산물이 아니라 구원자 하나님의 섭리와 예정된 뜻에 있다. 하나님 구원에 대한 신앙을 가지면 불퇴전의 신앙을 가질 수 있다. 생사를 초월한 믿음의 삶을 살아갈 수 있다. 성패를 하나님께 맡기고 진퇴를 하나님께 물으면서, 다만 하나님의 구원만을 기대하면서 소망 중에 쉴 수 있다. 절망적인 상황에서도 굳건한 소망으로 일어서며, 고통의 기나긴 밤을 하늘 평강으로 지새우며, 죽음같이 차디찬 순간을 영생의 확신으로 극복한다.

그리스도인을 전진하게 하는 것은 하나님 구원의 신앙이다. 오늘 세상에 필요한 것이 하나님 구원의 복음이요, 지금 우리에게 절실히 요구되는 것도 하나님 구원에 대한 반석 같은 신앙이다.

막대기 하나만 들고 나온 다윗을 저주하며 비웃는 골리앗에게 다윗은 큰 소리로 외쳤다.

> 너는 칼과 창과 단창으로 내게 나아오거니와 나는 만군의 여호와의 이름 곧 네가 모욕하는 이스라엘 군대의 하나님의 이름으로 네게 나아가노라 (삼상 17:45)

골리앗이 모욕을 던진 하나님의 이름, 사울 왕과 이스라엘 백성이 잃어버린 하나님의 이름, 하나님을 비웃는 골리앗을 오히려 비웃고 계신 하나님의 이름에 대한 자석 같은 믿음을 갖고 있었다. 하나님의 이름은 곧 하나님의 능력이었다. 일찍이 하나님은 그분의 이름을 묻는 모세에게 자신을 계시하셨다.

나는 스스로 있는 자이니라(출 3:14)

스스로 존재하시는 여호와 하나님의 이름은 그때 이후로 이스라엘에게 뚜렷한 능력의 상징이었다. 이스라엘의 적국들이 듣고 두려워하던 크신 이름이었다. 여호와의 거룩하신 이름 앞에 열방은 떨었고 이방의 신들은 무기력했다. 이스라엘 백성이 여호와의 이름을 의지할 때 하나님은 그들을 지켜 주셨다.

그러나 가나안에서의 안정된 생활은 이스라엘 백성의 마음에서 하나님의 이름을 밀어내고 바알과 아세라와 밀곰과 그모스를 갖다 앉혔다. 여호와의 이름을 잊어버린 이스라엘에게 남은 것은 저주와 패망뿐이었다. 여호와의 존귀하신 이름이 사라진 이스라엘에게 찾아온 것은 열방의 조롱과 비웃음이었다. 나라는 망해도 여호와의 이름은 예언자들과 남은 소수의 무리에 의해 기억되었고, 어린 다윗에게까지 전수되었다.

소년 다윗은 양 치는 벌판과 험한 산길을 오르내리며 양 떼를 돌보는 중에 위기 때마다 건져 주신 하나님의 이름을 가슴 깊이 새겼다. 여호와의 이름은 그에게 더할 나위 없는 기쁨이요 놀라운 구원이었기에 그는 노래할 수 있었다.

> 여호와는 나의 목자시니 내게 부족함이 없으리로다(시 23:1)

골리앗이 많은 신들의 이름으로 다윗을 저주했지만 다윗은 오직 한 이름으로 골리앗을 대적했고, 하나님 이름에 대한 믿음이 기적 같은 승리를 가져왔다.

우리의 유일한 자랑

우리가 자랑할 것은 하나님의 이름, 예수의 이름이다. 성전 미문의 앉은뱅이도 베드로와 요한이 예수의 이름으로 선포했을 때 고침 받는 기적이 나타났다. 자신들을 추궁하는 세력 앞에서 베드로와 요한은 담대히 고백했다.

> 다른 이로써는 구원을 받을 수 없나니 천하 사람 중에 구원을 받을 만한 다른 이름을 우리에게 주신 일이 없음이라 하였더라(행 4:12)

오늘 우리를 구원해 주는 이름은 공자나 석가나 마호메트가 아니라 나사렛 예수다. 오늘 세상에 구원과 해방을 선포할 수 있는 것은 오직 예수 그리스도의 살아 있는 이름뿐이다. 예수 그리스도의 이름이 소망 없는 인류에게 참소망의 빛을 던져 준다. 고통 가운데 울부짖는 세상에 참평화의 소식을 전해 준다. 종말의 징조가 선명해진 어두운 역사 위에 참생명의 온기로 임한다. 오늘 악령과 병마가 나사렛 예수의 이름 앞에 무릎 꿇고, 예수의 이름을 믿는 자가 승리와 축복과 구원을 얻는다. 이 세상이나 오는 세상에서도 예수 그리스도의 이름을 능가할 이름은 아무것도 없다.

> 이러므로 하나님이 그를 지극히 높여 모든 이름 위에 뛰어난 이름을 주사 하늘에 있는 자들과 땅에 있는 자들과 땅 아래에 있는 자들로 모든 무릎을 예수의 이름에 꿇게 하시고 모든 입으로 예수 그리스도를 주라 시인하여 하나님 아버지께 영광을 돌리게 하셨느니라(빌 2:9-11)

예수의 이름에 대한 신앙이 우리에게 영원한 구원과 참다운 승리, 그리고 기적의 축복을 가져다준다.

사람이 마음으로 계획할지라도 성사는 하나님께 있다. 사람이 뜻을 가질 수는 있지만 길은 하나님께 있다. 경영은 인간의 몫이라도 성취는 하나님의 몫이다. 다윗은 이번 전쟁의 성패가 하나님께 있음을 알았기에, 전쟁에서의 우열은 창칼이 아니라 하나님의 구원에 있다면서 큰 소리로 외쳤다.

> 전쟁은 여호와께 속한 것인즉 그가 너희를 우리 손에 넘기시리라 (삼상 17:47)

하나님이 승리의 보장이 된다는 사실을 믿는 사람은 용기백배한다. 다윗은 이 믿음을 가졌기에 용감할 수 있었다. 승리에 대한 하나님의 뜻을 알았기에 죽음의 위험도 감수할 수 있었다. 결국 모두에게 불가능으로 보였던 엄청난 일을 다윗이 이루었다.

여호와 하나님은 아브라함과 이삭과 야곱을 위해 아비멜렉과 라반과 다투셨으며 이스라엘 백성을 위해 애굽, 미디안, 가나안, 블레셋, 암몬, 모압, 그 외의 숱한 나라와 족속들과 친히 싸우셨다. 전쟁의 주관자는 하나님이시다. 세계의 크고 작은 전쟁들을 살펴보면 하나님이 역사의 주인이시며 전쟁의 주관자이심을 알 수 있는 사례가 무궁무진하다. 하나님은 오늘도 살아서 역사하신다. 우리를 대신해서 싸우시는 하나님이 우리에게 결정적인 승리를 안겨 주신다.

단순하고 담백한 신앙

하나님은 지금도 쉼 없이 역사의 수레바퀴를 돌리고 계신다. 세상 역사에서 전쟁 도구를 통해 자기의 백성을 다루신다. 이스라엘 백성이 하나님을 배반했을 때 하나님은 앗수르를 동원하셨고 바벨론, 페르시아, 헬라와 로마 제국을 몽둥이 삼아 이스라엘을 두들기고 정복하여 멸망시키셨다. 세계 역사에서 인류의 시작과 더불어 있어 온 숱한 싸움들, 크고 작은 전쟁들을 주관하고 승패를 주신 분은 하나님이심을 믿을 때 담대할 수 있다. 하나님이 전쟁의 주관자이심을 믿는 성도는 어떤 전쟁 상황 속에서도 다윗처럼 담대히 고백할 수 있다.

군대가 나를 대적하여 진 칠지라도 내 마음이 두렵지 아니하며 전쟁이 일어나 나를 치려 할지라도 나는 여전히 태연하리로다(시 27:3)

인생의 싸움터에서 우리를 지키시고 우리에게 궁극적인 승리를 보장하신 만군의 하나님 여호와께 감사하라! 세상 역사와 민족, 국가의 흥망성쇠를 주장하시는 만왕의 왕이요 만주의 주이신 우리 하나님을 찬양하라!

오늘 우리가 사는 세상에는 골리앗처럼 상대하기 버거운 적들이 많다. 그러나 올바른 신앙으로 무장할 때 우리 앞에 무너지지 않을 적이란 하나도 없다. 넘지 못할 홍해가 없으며 깨뜨리지 못할 난공불락의 성도 없다. 홍해처럼 우리를 가로막는 험한 세력이 있어도 하나님 구원의 신앙을 갖고 나가면 우리 앞에 파도가 갈라지는 역사가 있다. 여리고 성처럼 우리의 진행을 저지하는 장애물이 있어도 하나님의 이름에 대한 신앙을 붙잡고 나가면 하루아침에 무너진다. 골리앗처럼 우리를 위협하는 적들이 아무리 으르렁거려도 하나님이 전쟁의 주관자시라는 신앙을 지니면 그 어떠한 거인도 우리 앞에 죽은 개와 같이 되고 말 것이다.

우리는 영생을 취하고 천국 영토를 확장해 가는 십자가의 군병, 주님의 용사들이다. 우리 주변에는 사나운 적들이 겹겹이 진을 치고 있다. 우리가 대항해 싸워야 할 적들은 강하고 그들의 숫자는 엄청나다. 사탄이, 세상이, 죄악이, 우리 자신까지 때때로 우리를 꺾으려 한다. 강적을 이기려면 철저히 무장해야 한다. 어떤 무장을 하고 있는가? 필승을 위한 무장인가? 허장성세에 불과한 무장인가? 하나님과 하나님 이름에 대한 신앙이 아니라면 우리의 무장은 헛된 것이다. 전쟁의 주관자가 하나님이시라는 믿음이 없으면 전쟁에서 이길 수 없다. 우리가 하나님 신앙으로 철저히 무장하기만 하면 넉넉히 승리하는 삶을 보낼 수 있다.

무엇이 다윗으로 하여금 용사들을 이끈 용사가 되게 했을까? 그에게는 오직 한마음이 있었다. 그는 어떤 환경, 어떤 조건, 어떤 상황에서도 나뉘지 않는 마음의 소유자(single-minded man)였다. 하나님 한 분만을 바라보는 단순함, 하나님의 이름만을 의지하는 담백함, 하나님의 영광만을 추구하는 거룩함, 한마디로 다윗은 초지일관의 사람이었다. 처음과 나중이 다르지 않고 겉과 속이 한결같은 성품의 성실함(integrity)이 다윗을 용사 중의 용사 곧 여호와의 용사가 되게 했다. 초심을 잃지 않고 평상심을 지키는 그의 올곧음이 많은 용사들을 그의 곁으로 모여들게 만들었다.

3장

어떤 싸움인가?

우리의 씨름은
혈과 육을 상대하는 것이 아니요
통치자들과 권세들과
이 어둠의 세상 주관자들과
하늘에 있는 악의 영들을 상대함이라
엡 6:12

우리는 어떤 싸움을 싸우고 있는가? 승산이 있는 싸움인가? 아니면 싸우나 마나 한 싸움인가? 그리스도인의 싸움은 이미 얻은 승리를 지키는 싸움이다. 공격보다 어려운 것이 수비다. 수비에도 공격이 있기에 이것도 싸움이다. 어찌 보면 공격보다 더 처절하고 치열한 싸움이다.

승리를 지키기 위한 싸움의 법칙이 있다. 그것은 영적 무장의 부분에서 다룰 것이고, 여기서는 싸움의 성격과 특징을 간략히 다루려고 한다. 승리의 법칙을 따르면 승자의 웃음을 짓게 될 것이다. 물론 그 과정에서 상처도 입고 아픔도 겪고 때로는 울음을 토할 수도 있다. 마지막에 웃는 자가 가장 잘 웃는 자라면 그리스도인은 가장 잘 웃는 사람들이다. 우리에게는 최종 승자가 될 것이라는 희망이 있다. 이길 수밖에 없음을 확신하는 믿음이 있다.

우리는 행복한 전사들이다. 환경이 우리를 옭아매고 눈물을 짜내게 할지라도 우리의 마음은 행복에 겨워 웃는다. 주님의 용사가 되었음에, 아직도 살아서 의미 있는 싸움을 싸울 수 있다는 사실에 진정한 기쁨을 느낀다.

다음은 도종환 시인의 〈희망이 있는 싸움은 행복하여라(원제: 암 병동)〉의 앞부분이다.

희망이 있는 싸움은 행복하여라
믿음이 있는 싸움은 행복하여라
온 세상이 암울한 어둠뿐일 때도
우리들은 온몸 던져 싸우거늘
희망이 있는 싸움은 진실로 행복하여라
참답게 산다는 것은
참답게 싸운다는 것
빼앗기지 않고 되찾겠다는 것

뿌리의 싸움, 영적 전쟁이다

금세기 최고의 미래학자로 불리는 앨빈 토플러가 "인류 역사를 통틀어 단 3주 동안에만 전쟁이 없었다"고 언급한 것처럼 인류의 역사는 전쟁의 역사다. 그러나 이 전쟁보다 더 참혹하고 무시무시한 것이 눈에 보이지 않는 영적 전쟁이다. 나무가 자라는 데는 가지와 잎사귀가 외부의 환경과 싸우는 싸움의 영역이 있지만, 그보다 더욱 근본적이고 치열한 싸움은 땅 밑에서 이루어진다. 뿌리를 깊이 내리고 벌레들과 싸우는 본질적 싸움이다. 영적 전쟁이란 뿌리의 싸움에 비유할 수 있다.

영적 전쟁은 거대한 싸움이다. 승패의 단초는 지극히 작은 싸움에서 갈라진다. 영적 전쟁에서 치명적인 것은 각자가 지니고 있는 고질적인 약점, 즉 고의로 짓는 죄(willful sins, NIV)다. 거대한 댐이 무너지는 것은 1인치의 작은 틈새 때문이다. 영적 전사는 더러울 수 없다. 용사의 혈관에는 더러운 피가 흐르지 않는다.

1인치의 미세한 공간이 천국이 되느냐, 아니면 지옥으로 남느냐의 차이를 결정짓는다. 알 파치노가 미식축구 팀 감독인 토니 역을 소화한 1999년 작품 〈Any Given Sunday〉에서 그가 팀의 승패를 되돌리기 위해 선수들을 격려하는 장면이 있다. 30년 경력의 베테랑인 그는 승리란 1인치의 전진에 목숨을 걸 수 있는 사람의 몫임을 전제로 하면서, 자신이 중년의 위기를 지나면서 아직도 사는 것은 그 1인치를 위해 싸우다 죽을 각오를 했기 때문이라고 강변한다. 1인치가 모여 승패와 생사의 차이를 갈라놓는다고 단언하면서 팀의 결속을 다진다. "인생은 미식축구처럼 1인치의 게임이다." 영적 전쟁에서는 작은 패배마저 못 견디는 호승심이 번득여야 한다.

성경은 인간 창조 이전에 하늘에서 천사들 사이에 반역이 일어났음을 말해 준다. 유대인들은 일곱 하늘이 있고 각각의 하늘에는 주관하는 천사가 있다고 믿는다. 성경에 그 이름이 언급된 가브리엘은 첫째 하늘을 주관했고 미가엘은 넷째 하늘을 주관했다. 에덴동산은 셋째 하늘에 있었다. 그 밖에 외경인 에녹서나 솔로몬 언약서에서도 명칭은 다르지만 역시 일곱 천사들을 언급했다. 성경에서 그 사실을 다루고 있는 곳이 에스겔서 28장과 이사야서 14장이다.

영적 전쟁은 가장 높은 하늘에서 시작되었다. 하나님의 보좌 가까이에서 덮는 그룹(cherubim)이었던 천사장 루시퍼의 타락이 전쟁의 발단이었다. 천사장 루시퍼는 하나님의 기름 부음을 받은 존재였다(겔 28:13-14). 그러나 자신의 아름다움과 높은 지위에 현혹되어 교만에 빠졌다. 피조물인 그가 감히 하나님과 동등해지려고 반역을 일으켰다가 하나님의 심판을 받고 쫓겨나 마귀, 즉 사탄이 되었다(사 14:12-15). 주님은 하나님이시라도 하나님과 동등 됨을 구하지 않으셨는데, 루시퍼는 피조물임에도 하나님과 동등해지기를 원했으니 그 교만의 크기가 어느 정도인지 가늠할 수 있다.

빛이 아닌데도 그렇게 세상의 빛이 되고 싶어 했던 존재가 계명성이다. 별빛이 아무리 밝아도 햇빛에 비할 수는 없을 터인데, 루시퍼는 광명성의 자리에 만족하지 못하고 햇빛의 밝기를 갈망했다. 아침의 아들이라 불리는 루시퍼는 빛이 아니다. 이름이 뜻하는 바와 같이 "빛(lux)을 가져오는(ferre) 자"다. 사탄은 비정규전에 강하다. 가장 깊은 어둠으로 세상을 흑암에 가두고 광명한 빛으로 자신을 뒤덮을 수 있다.

사탄은 이 세상의 신으로도 불리는데 이는 그가 이 세상을 창조했기 때문이 아니다. 세상이 지니고 있는 세속성으로 사람들이 그를 경배하기 때문에 신이라 불린다. 우리가 강하면 사탄이 우리에게 아부하지만 우리가 약하면 우리를 사정없이 짓밟아 버린다. 우리의 약점을 은혜로 보강하면서 강점을 더욱 강화시켜야 한다. 사탄은 우리의 강점과 약점을 속속들이 알고 있어서 취약한 부분을 골라 가며 타격한다.

같은 약점이라도 강자의 약점이 약자의 것보다 더 약하다. 강자의 약점은 아킬레스건처럼 상처를 입으면 치명적이다. 자신의 약점을 강화시키는 길은 하나님의 능력으로 채우는 길밖에 없다. 바울은 오히려 약해서 하나님의 능력이 머무는 은혜를 입었다. 약하면 쪼그라들지 말고 주님 품에 안겨야 한다. 이런 의미에서 최고의 적은 자신이고 최후의 적도 자신이다. 자신을 극복하는 자가 진정한 영적 전사다.

바닷물이 깊고 넓어도 작은 돛단배를 가라앉힐 수는 없다. 반대로 비록 큰 배라 해도 작은 구멍이 나면 그 사이로 바닷물이 들어와 이내 가라앉고 만다. 약점은 감춘다고 해결될 일이 아니다. 사탄은 약점 찾기의 명인이다.

적을 낚아채기도 전에 먼저 고꾸라지는 것은 비극이다. 우리가 주님의 용사가 되기 위해 얼마나 많은 낮과 밤을 눈물로 보내며 고된 훈련에 힘들어했던가! 어렵사리 걸어온 용사의 길이 아니던가! 우리가 정글에 들어온 것은 여우가 아니라 포효하는 사자를 포획하기 위해서다. 포도원을 허는 작은 여우를 잡는 여우 사냥은 이미 끝나지 않았는가?

중보기도로 전선 없는 싸움을 치른다

근대에 이르기까지 인류가 치른 모든 전쟁은 아군과 적군의 구별이 분명했다. 1, 2차 세계대전은 말할 것도 없고 한국 전쟁 때만 해도 그랬다. 베트남 전쟁은 전선에서의 싸움도 있었지만 전선 없는 싸움 때문에 미군이 많은 어려움을 겪었다. 현대에 이르러 각종 첨단무기의 개발로 인해 전후방이 따로 없어서 전선 없는 전쟁의 양상을 띠게 되었다. 마귀와의 영적 전쟁은 이런 의미에서 가장 현대적인 전쟁이라고 부를 만하다.

기독교의 역사는 마귀와의 영적 전투다. 싸움을 걸어온 쪽은 늘 마귀였다. 권력자의 창검과 이단의 마력으로 교회를 공격했고, 물욕과 음란과 살인의 영으로 사람들의 영혼을 피폐시켰다. 공산주의, 전체주의, 합리주의, 허무주의, 세속주의, 자본주의, 다원주의, 교권주의, 인본주의, 무신론, 사신론 등 마귀의 졸개들은 각종 이념과 비루한 사상의 옷을 갈아입으면서 세상을 망가트렸다. 자유주의도 예외일 수는 없다. 마귀는 본래의 모습으로 싸움을 걸어오기도 하고 광명한 천사처럼 위장하여 교란시키기도 한다.

전선이 따로 없고 전후방이 따로 없다. 적은 게릴라전의 명수다. 이 싸움은 인류의 종말이 오는 그날까지 지속된다. 주님이 재림하실 때까지 휴전 없는 영속적인 전투가 곳곳에서 일어난다. 그야말로 전 지구적이요 우주적인 대투쟁이다(롬 16:20; 엡 6:12-18; 벧전 5:8; 계 12:13-17). 늘 깨어 있어야 한다.

한국은 세계의 어느 분쟁 지역보다 남북 간 대치 상황이 오래되었다. 세계에서 유일한 분단국가로 남은 현시점에서 전쟁의 공포를 느끼는 사람은 별로 없다. 연평도 포격사건이 터졌을 때도 해당지역 주민들과 그들의 친인척이나 친구 정도가 애간장을 태웠을 뿐 전국은 비교적 차분했다. 예전 같으면 전국적인 시위와 궐기 대회로 시끌벅적했을 것이다.

1970년대까지만 해도 첨예한 이데올로기 논쟁의 정점에서 남북의 주민들은 팽팽한 긴장감 속에 살았다. 그런데 시간이 가면서 '설마 또

다시? 같은 민족인데 그럴 리가?' 하는 생각에 마음이 느슨해졌다. 장기간의 휴전 상태에서 오는 나른함이 긴장의 고삐를 풀게 한 것이다. DMZ는 아이러니하게도 세계에서 생태계가 가장 잘 보존된 지역으로 손꼽힌다. 60년 가까이 사람의 흔적이 거의 없는 상태에서 철새들과 식물들이 낙원 같은 삶을 만끽하고 있으니 그럴 만도 하다.

그러나 전쟁 직전의 상황에서 보이는 전쟁불감 현상은 불안하기 짝이 없다. 한국 교회가 처한 영적 현실도 비슷한 양상을 보인다. 박해가 사라진 시대에 교회는 전성기의 여유를 누리며 세상의 파수꾼임을 자부하고 있다. 풍요와 한가함 속에서 몸통을 한껏 부풀려 세계 교회의 주목을 받게 되었다. 열정적인 선교가 이어지고 여전히 뜨거운 기도와 예배가 있다. 프로그램은 다양하고 조직적이며 세련미까지 갖추었다. 무엇 하나 부족한 것이 없어 보인다. 그럼에도 불구하고 교회는 세상 사람들에게 환영받지 못한다. 교회의 변질된 본질 때문에 세상의 질타를 받는다.

빛은 어둡고 짠맛을 잃은 소금은 싱겁기 짝이 없다. 예수쟁이 때문에 예수의 이름이 먹칠을 당하고 그리스도인 때문에 그리스도가 난도질의 대상이 된다. 최신 무기와 장비를 갖추고 교전 수칙까지 달달 외웠지만 영적인 전투력은, 글쎄다. 전면전에는 어느 정도 버티겠지만 게릴라선에는 속수무책이다. 한국 교회의 대군을 이끌 만한 야전사령관이 보이지 않는다. 기대했던 싸움꾼들은 유명을 달리했고 숨은 용사들은 아직 모습을 보이지 않는다. 자신들을 다룰 수 있는 우두머리를 기다리는 것일 게다.

전선 없는 전쟁에서 적을 물리치려면 단련되고 숙달된 용사가 우후죽순처럼 나와야 한다. 요엘 선지자가 부르짖은 대로 여호와의 용사가 판결 골짜기로 몰려들어야 한다.

가장 위험한 상태는 전쟁터에서 전쟁 상황을 전혀 감지하지 못하는 것이다. 적들의 급습에 동료들이 피를 흘리고 쓰러지는데 눈도 깜짝하지 않는다. 보지 못하고 듣지 못하기 때문이다. 이런 상태면 싸움은커녕 제 한 몸조차 건사하기 힘들다. 이런 한심한 모습이 우리의 영적 현실임을 깨달아야 한다. 정신을 차리고 훈련에 임하고 무장을 해야 한다.

전선 없는 전쟁에서 승리하려면 그리스도인 각자가 용사가 되어야 한다. 그리스도의 좋은 군사로는 만족할 수가 없다. 영적 싸움꾼을 길러야 한다. 기도와 말씀에 익고 익은 최고의 전사로 키워 영적 군대에 배속시켜야 한다. 한 사람의 그리스도인이 일당백이 되고, 그런 용사로 뭉친 집단이 기드온 300용사처럼 여호와의 구원을 이루는 데 힘써야 한다.

전선 없는 싸움터에서 용사를 서로 묶을 수 있는 끈은 중보기도다. 중보기도를 하면 빛보다 빠른 속도로 서로 교감하며 문제들을 지혜롭게 다뤄 나간다. 싸움에도 전략적으로 임한다. 사도들이 옥에 갇혔을 때 성도들은 하나님께 중보기도를 드렸다. 그러자 사도들이 풀려났고 기도의 불길은 더욱 거세게 타올랐다. 초대 교회가 강건할 수 있었던 것은 그들이 늘 긴장 속에서 자신을 추슬렀기 때문이다. 계속되는 박해는 한순간도 그들을 방심하지 못하게 만들었고 팽배한 위기의식은 그들의 무릎을 하나님 앞에 꿇게 만들었다. 그물망처럼 촘촘히 연결된 기도, 체인처럼 엮인 중보기도자들의 울부짖음이 하늘의 하나님을 움직였다.

지치지 않는 마귀를 넉넉히 이긴다

사람의 한평생은 치열한 싸움의 연속이다. 개인도 싸우고 공동체도 싸우고 정부와 나라도 싸운다. 돈을 위해 싸우고 영토를 위해 싸우고 권력을 위해 싸운다. 정부는 가난과 범죄와의 전쟁을 선포하고, 국가 단위로 테러분자 색출이나 마약사범 근절을 위해 싸움을 전개한다. 전쟁만이 싸움이 아니다. 하루의 삶만 들여다봐도 인생이 만만치 않은 싸움인 것을 인정하게 된다. 왜일까? 인간 세상에 싸움의 영이 넘쳐 나기 때문이다. 마귀가 세상 원리를 조종하는 한 세상에 싸움이 그칠 날은 없다.

신앙 역시 싸움이다. 보이지 않는 영적 세계에서의 싸움이 매 순간 일어난다. 인간의 고귀한 영혼을 사이에 두고 악한 영들과의 싸움이 이뤄진다. 민수기에는 전투 기사가 유난히 많다. 그것은 가나안으로 향하면서 이스라엘이 마주쳐야 했던 원수의 세력이 많고 막강했기 때문이다.

민수기 1장은 전투를 위한 백성들의 병적 조사로 시작된다. 이스라엘은 하나님의 기적적인 인도하심으로 편안히 그 땅에 들어가지 않았다. 광야에서의 40년 방황이 끝났을 때도 여전히 그들은 7년이라는 세월을 두고 정복 전쟁을 치러야 했다. “건짐 받은 자”인 모세를 통해 홍해를 건너고 광야를 지났던 그들은 “건지는 자” 여호수아를 통해 요단 강을 건너 가나안 지경으로 들어섰다. 특히 예수님의 모형인 여호수아는 요단 강 동편과 서편 지역에서 모두 33명의 왕과 전투를 치러 승리를 거둠으로써 불패의 상승장군이라는 위업을 남겼다.

바울은 우리가 비록 육체를 입고 살지만 우리의 싸움은 영적인 것임을 알았다. 이겨야 하기에 이길 수밖에 없는 신앙 무장을 세밀하게 밝혔다. 그는 신앙의 본질을 바로 이해했다. 피할 수 없는 싸움, 질 수 없는 싸움, 이미 이겼음에도 불구하고 승리를 지켜야 하는 이 싸움은 결코 만만치 않다. 이 쉽지 않은 영적 전쟁터에서 우리는 넉넉한 승리를 쟁취해야만 한다. 인간관계에서는 그리스도인으로서 지는 것이 이기는 길이지만, 마귀와의 싸움에서는 영적 전사로서 이겨야만 이기는 것이다. 반드시 이겨야 한다.

가나안 원주민인 일곱 족속과 싸워야 했던 이스라엘 백성처럼, 일곱 귀신이 쫓겨나고 정신이 온전해졌던 마리아처럼 우리에게도 싸워서 굴복시켜야 할 마음의 일곱 가지 세력이 있는지 모른다. 어쩌면 우리의 마음속에는 싸워서 정복해야 할 원수의 견고한 진이 수백, 수천 개가 있을지도 모른다.

엄밀히 말해서 우리는 승리하기 위해 싸우지 않는다. 우리는 승리를 위한 전투에 부름 받지 않았다. 그리스도가 이루신 승리를 보전하는 싸움에 부름 받았다. 하나님과 마귀의 대격전은 이미 끝났다. 전면전에서는 이미 이겼다. 이제 산발적으로 일어나는 국지전에서도 이겨야 한다.

사탄은 패배했다(골 3:15). 마귀는 자신의 패배를 인정했다. 그는 자신의 영원한 운명도 안다. 마귀는 영원한 멸망 직전까지 악착같이 교회를 괴롭힐 것이다. 패장으로서 승복하지 않을 수 없어 항복 문서에 서명하긴 했지만 끊임없이 도발을 일삼을 것이다. 머리는 상하고 만신창이가 된 사탄은 꼬리를 내린 것이 분명하지만 여전히 최후의 발악을 하고 있다. 소멸되는 마지막 순간까지 마귀의 광기는 더욱 거세질 것이다. 이미 큰 것을 잃었기에 더 이상 잃을 것도 없다는 심정이다.

루터는 사탄을 사슬에 묶인 채 으르렁거리는 개로 비유하길 좋아했다. 존 버니언의『천로역정』에서도 양쪽으로 쇠사슬에 묶인 흉한 짐승이 그리스도인들을 위협하지만 결코 해할 수 없는 모습을 그렸다. 성도는 안전하다. 그러나 어리석게 안전거리를 벗어나 짐승에게 근접하면 한순간에 물린다.

세상 임금은 이미 심판을 받았다(요 16:11). 영원한 멸망의 선고를 받았다. 그는 더 이상 항소할 수 없다. 1심으로 모든 것에 종지부를 찍었다. 마귀는 십자가에서 선고된 형량이 집행될 날만을 기다리는 사형수다. 마귀의 일을 멸하려고 오신 주님은 세상 임금이 곧 쫓겨날 것이라고 말씀하셨다. 평강의 주님이 사탄을 우리 발 앞에서 상하게 하실 것이다. 사탄은 하늘에서 번개처럼 신속하게 떨어졌다. 성도는 아무리 불리한 여건에서도 결국 어린양의 피와 증거의 말씀으로 이긴다. 그것도 넉넉히 이긴다.

스포츠 세계에서는 아름다운 패배가 있고 경기 자체에 의미를 부여

할 수 있지만 영생과 멸망 사이에서 인간의 영혼을 다루는 영적 전쟁에서는 승리만이 모든 것을 말해 준다. 한두 번의 가벼운 실수는 있을지언정 궁극적인 승리만이 우리의 삶을 아름답게 만든다. 고공의 외줄타기에서 추락은 곧 죽음이다. 영적 전쟁의 미덕은 오직 승리에 있다.

성령으로 견고한 진을 파한다

주님의 십자가는 마귀가 감히 상상하지 못한 결과를 가져왔다. 마귀는 주님의 발꿈치를 무는 순간 승리를 외쳤지만 자신의 머리가 깨어지는 것은 몰랐다. 마귀는 주님과의 싸움에서 패배했다. 뼈저린 패배를 경험한 마귀는 하나님의 백성들과 벌이는 싸움에서 이를 악문다. 마귀의 진은 견고하고 군세는 막강하다. 마귀는 최고의 공격력으로 주님의 교회를 파괴시키고 성도들을 쓰러트리려고 전력을 다한다. 이런 영적 전쟁의 실상을 바라본 베드로는 강력히 권고했다.

> 근신하라 깨어라 너희 대적 마귀가 우는 사자같이 두루 다니며 삼킬 자를 찾나니 너희는 믿음을 굳건하게 하여 그를 대적하라(벧전 5:8-9)

마귀는 천사장 미가엘과의 싸움에서 패했다. 공중 권세를 잃고 땅으로 쫓겨난 그는 극도로 분노해 있다.

> 땅과 바다는 화 있을진저 이는 마귀가 자기의 때가 얼마 남지 않은 줄을

알므로 크게 분 내어 너희에게 내려갔음이라(계 12:12)

마귀는 혼자 오지 않았다.

큰 용이 내쫓기니 옛 뱀 곧 마귀라고도 하고 사탄이라고도 하며 온 천하를 꾀는 자라 그가 땅으로 내쫓기니 그의 사자들도 그와 함께 내쫓기니라(계 12:9)

마귀는 악령들을 총동원하여 천국 갈 영혼들을 파멸시키려고 혈안이다. 마귀를 혈과 육으로 이길 수 없다. 영에는 영으로 임해야 한다. 악령을 이기는 길은 성령뿐이다. 성령의 능력으로 무장하여 싸워야 한다.

우리는 가나안 점령 전쟁을 회상해 볼 필요가 있다. 젖과 꿀이 흐르는 땅이 이스라엘 백성에게 약속되었지만 그 땅을 차지하려면 계속해서 싸워야 했다. 가나안 땅의 원주민인 일곱 족속은 전쟁에 능한 용사 집단이었다. 약속을 성취하기 위해서는 적들과의 불가능한 싸움을 피할 수 없었다.

가나안 땅에 발을 들여놓은 이스라엘 백성은 여리고 성의 웅장함과 견고함에 넋을 잃었다. 믿음의 사람 여호수아는 첫 번째 맞이한 큰 싸움에서 제사장들을 앞세운 영적 전략으로 임했다. 원수의 견고한 진을 파하는 데는 기도와 담대한 믿음의 선포밖에 없었다. 일곱 제사장이 일곱 양각나팔을 불고, 백성들은 조용히 뒤따르며 여리고 성을 매일 한 바퀴씩 돌았다. 7일째 새벽이 되었을 때 그날만은 성을 일곱 번 돌았다. 제사장들이 일제히 나팔을 불자 백성들이 큰 소리로 외쳤다. "여리고야, 무너져라!" 여리고 성의 함락은 영적 전략에 따른 놀라운 승리였다.

앗수르 왕 산헤립이 예루살렘을 침공해 왕과 백성들을 겁박했다. 하나님의 이름을 모욕하면서 항복을 권하는 문서를 보냈다. 도저히 막강 대군을 이길 길이 없었다. 궁내 대신과 서기관과 제사장들이 굵은 베를 입고 여호와의 전에 엎드렸다. 기도할 수밖에 없었다.

히스기야 왕은 이사야 선지자에게 기도를 요청했다. 왕은 편지를 펴 놓고 하나님께 간구했다. 도움을 요청했다. 히스기야 왕의 기도는 애끓는 호소였다. 그러자 하나님의 응답이 이사야 선지자에게 임했다.

여호와의 사자가 앗수르 군대를 쳐서 하룻밤 사이에 18만 5,000명이 시체로 변했다. 거만했던 앗수르 왕 산헤립은 도주했고 신당에서 자신이 섬기던 신을 경배하던 중에 아들 손에 의해 살해되었다. 불가능한 싸움을 하나님이 대신 싸워 주셨다. 전능의 하나님이 견고한 원수의 진을 파해 주셨다.

우리가 우리의 싸움을 우리의 힘과 우리의 방식대로 싸우고자 한다면 이길 확률은 제로다. 우리의 모든 싸움을 전능하신 하나님께 맡기고 믿음으로 나아가면 하나님이 우리의 싸움을 대신 싸워 주신다. 하나님이 앞장서시면 이 세상에 이기지 못할 싸움이란 없다. 우리가 실패하고 패배의 쓰라림을 겪는 것은 우리 방식대로 싸우고자 하는 태도 때문이다. 우리의 싸움은 육체의 싸움이 아니다. 영적 전쟁이다. 영적 전쟁은 영적 방식으로 싸워야 한다. 기도로 싸우고 영력으로 싸워야 한다.

정사와 권세와 어둠의 세상 주관자들과 하늘에 있는 악한 영들은 하나님의 군대와 싸우는 마귀의 세력이다. 추상적인 세력이 아니라 매우 구체적인 영적 계급이다.

진리를 가로막는 이론을 파한다

믿음 생활을 이론적으로 추구하는 사람들이 있다. 감정적인 요소를 배제한 채 진리만을 추구하는 형태다. 기도보다는 말씀, 체험보다는 진리의 깨달음에 역점을 두고 말씀지상주의를 외친다. 진리는 귀하고 말씀이 믿음 생활에 핵심적이긴 하지만 그것이 다가 아니다.

체험이 거부된 진리는 메마르고 유익이 없다. 열정이 사라진 말씀의 적용은 골격만 튼튼히 세울 뿐 살이 붙지 않는다. 이론은 생명을 약화시킨다.

교회에서 중요하게 여기는 전통 중에 교리가 있다. 성경을 바탕으로 하여 신학적으로 체계화된 교리는 이교를 방지하고 신앙의 골격을 형성한다는 측면에서 매우 귀중하다. 그러나 교리가 절대적인 것은 아니라는 점을 기억해야 한다. 교리는 시대에 따라, 또 신학적인 견해에 따라 조금씩 변해 왔다. 초기에는 이단시되었던 것이 정통 교리에 흡수된 것도 있고, 정통 교리라 여겼던 것이 잘못된 가르침으로 정죄되기도 한다.

지금은 기독교의 모든 교리가 완성되었다. 그럼에도 아직까지 신교와 가톨릭 간에 그리고 신교 내에서도 교파에 따라 교리의 차이로 인해 논쟁이 벌어진다. 세상에서 변하지 않는 것은 오직 하나님의 말씀뿐이다. 말씀에 근거하여 나름대로 해석하고 교회의 공인을 받아 확정된 교리는 절대적인 진리가 아니다.

우리는 교리가 아니라 하나님의 살아 있는 말씀을 믿는다. 말씀이 살아 있다 함은 말씀은 죽은 교리가 아니라는 것이다. 이론은 모두 죽은 것이다. 아무리 탁월한 교리라 할지라도 교리가 우리에게 생명을 주지는 않는다. 그렇게 할 수 없기 때문이다. 절대적인 진리에 비해 인간이 만든 교리는 상대적이다. 교리가 생명의 진리를 가로막는다면 반드시 파해야 한다.

교리적인 논쟁은 피해야 한다. 바울은 이것을 세상의 초등 학문이라 불렀다. 붙잡지도 말고 맛보지도 말고 만지지도 말라고 외쳤다. 바울은 믿음의 아들 디모데에게 신화와 끝없는 족보에 착념하지 말 것을 경고했다. 또한 변론과 언쟁을 좋아하는 자는 투기와 분쟁과 훼방과 악한 생각에 휘말리게 될 것이라면서 재차 경고했다.

여호와의 증인이나 신천지를 비롯한 이단들의 특징이 바로 변론을 좋아하고 신앙적인 논쟁을 즐긴다는 사실이다. 그들은 고도로 훈련받은 자들이다. 섣불리 응하면 십중팔구 미혹되거나 부끄러움을 당한다. 그들은 영적 이론의 대가들이라고 생각해도 무방하다. 선별된 성경 구절들만을 엮어서 자신들의 특정한 교리를 옹호하게끔 무섭도록 훈련을 받았기에 웬만한 그리스도인이 당해 내기 어렵다. 피하는 것이 상책이다.

바른 믿음의 길을 걷는 우리는 이단추종자들의 열심을 보면서 우리 자신의 나태함을 꾸짖고 분발해야 한다. 진리의 말씀으로 훈련받는 일에 열심을 더해야 한다. 영원한 말씀의 진리를 가슴에 깊이 새겨야 한다. 그리고 그 진리가 삶을 통해 구체화되고 열매로 드러날 수 있도록 힘써야 한다. 말씀의 생활화, 진리의 체험화를 이뤄야 한다. 성경 말씀을 믿으면 그 믿음대로 자신의 삶에서 이루고 스스로 실천하는 체험이 뒤따라야 한다.

체험만능주의는 위험할 수 있지만 체험이 없다면 우리의 믿음 생활은 사막처럼 메마를 것이다. 은혜의 단비에 젖고 성령의 불길에 마음이 뜨거워지는 체험을 해야 한다. 기도의 능력을 힘입어야 하고 갖가지 신령한 체험을 해야 한다. 하나님의 살아 계심을 머리로가 아니라 가슴으로 느낄 수 있어야 한다. 입술로만 드리는 기도가 아니라 영으로 드리는 기도가 있어야 한다.

끈질긴 독종, 교만과 싸운다

교만의 성격은 하나님을 대적하는 것이다. 하나님의 권위에 도전하는 것이다. 교만은 하나님을 대적하여 높아진 것이다. 하나님의 은혜가 임하는 것을 가로막는 최대 암초가 교만이다. 교만은 우리가 받았던 많은 은사를 거둬 간다. 축복도 앗아 가고 능력도 소멸시켜 버린다. 교만은 끈질긴 생명력을 지녔다. 교만이 우리 영혼에 닻을 내리지 못하도록 깨어 있어야 한다. 교만에서 우리를 지키기 위해 늘 깨어 열심히 기도하며 게으르지 않게 자신을 살펴야 한다.

교만은 죽을 때까지 우리에게 달라붙을 끈질긴 독종이다. 영적 싸움은 우리의 육체가 소멸될 때까지 계속될 것이다. 성경에서는 교만을 멀리하고 교만하지 말 것을 쉼 없이 강조하고 경고한다. 하나님은 죄의 시초인 교만을 매우 싫어하신다. 하나님이 싫어하시는 6~7가지 중에 선두에 있는 것이 교만한 눈이다(잠 6:16-19). 위대한 하나님의 종들이 왜 무너지는 줄 아는가? 바로 교만 때문이다.

> 그런즉 선 줄로 생각하는 자는 넘어질까 조심하라(고전 10:12)

바울은 믿지 않는 유대인들에 대해 교만한 자세를 지닌 이방 출신 그리스도인들에게 일침을 가했다.

> 옳도다 그들은 믿지 아니하므로 꺾이고 너는 믿으므로 섰느니라 높은 마음을 품지 말고 도리어 두려워하라 하나님이 원가지들도 아끼지 아니하셨은즉 너도 아끼지 아니하시리라(롬 11:20-21)

교만하면 천사장까지 내치시는 하나님이다. 교만하면 자신이 친히 지으신 첫 사람도 외면하고 자신이 친히 세우신 백성마저 버리는 하나님이시다.

교만과의 싸움은 가장 개인적인 싸움이다. 우리는 다른 사람의 교만과 다툴 수 없다. 다른 사람의 죄에 관계하는 것을 하나님이 원하지 않으신다. 하나님은 우리가 하나님의 능력으로 우리 속에 깊이 뿌리내린 교만과 싸우기를 바라신다. 교만을 꺾고 겸손함을 끝까지 견지하라! 나 자신이 하나님 앞에서 겸손해야 한다. 내가 살면 내 가정이 살고 내 가족이 산다. 내가 살면 내 교회가 살고 교인들이 살아난다. 내가 살면 내 이웃이 살고 내 민족이 살 수 있다. 내가 하나님 앞에서 은혜로 살 수 있는 길이 바로 겸손이다.

교만이 싹트는 곳은 우리의 자아다. 우리는 자아 없이 생존할 수 없기에 자아가 있는 한 교만과의 싸움은 불가피하다. 끝없이 자아를 십자가에 못 박아라! 이미 그리스도와 함께 십자가에 못 박힌 자로서 죽은 자답게 교만할 수 없음을 선포하며 살아라!

삶이 싸움인 것처럼 신앙도 끝없는 싸움의 연속이다. 우리는 영적 싸움에서 주님이 믿으실 만한 전사가 되어야 한다. 예수 그리스도의 좋은 군사가 되어야 한다. 군사는 자신을 위해 살지 않는다. 자신을 불러 주신 이를 위해 산다. 바울은 디모데를 이렇게 일깨웠다.

> 너는 그리스도 예수의 좋은 병사로 나와 함께 고난을 받으라 병사로 복무하는 자는 자기 생활에 얽매이는 자가 하나도 없나니 이는 병사로 모집한 자를 기쁘게 하려 함이라(딤후 2:3-4)

어떤 싸움을 싸우는가? 자신을 위한 싸움인가, 아니면 하나님을 위한 싸움인가? 정욕을 위한 혈과 육의 싸움인가? 아니면 교회를 위한 영적 싸움인가? 주님을 기쁘시게 하는 삶이란 주님이 싸우셨던 대상들을 향해 우리도 같은 능력과 방책으로 싸우는 것이다.

4장

싸워야 할 대상이 누구인가?

평강의 하나님께서 속히 사탄을
너희 발 아래에서 상하게 하시리라
우리 주 예수의 은혜가
너희에게 있을지어다
롬 16:20

믿음이 무엇인가? 영적 싸움이다. 믿음의 세계에 발을 들여놓는 순간부터 그리스도인들의 영적 싸움이 시작된다. 성경은 그리스도인이 싸워야 할 대상을 분명하게 밝힌다. 자신의 주체성을 깨닫는 것 못지않게 싸워야 할 상대를 파악하는 것도 중요하다. 우리는 방향 없이 달리지 않고 허공을 향해 주먹질을 하지 않는다. 육상 선수의 결승선과 권투 선수의 가격 대상은 아주 분명하다.

다윗은 상대를 알았다. 육신적인 관점에서 거인 골리앗은 이스라엘의 모든 용사를 겁에 질리게 했다. 그러나 영적인 관점에서 하나님 없는 골리앗은 하나님 신앙으로 무장한 다윗의 밥이었다. 골리앗은 악한 싸움의 선두에 섰다가 선한 싸움의 정상에 있던 다윗에게 눌렸다.

바울은 믿음의 선한 싸움을 자주 언급했다. 믿음의 선한 싸움이란 영생을 취하기 위한 싸움이다. 영생을 얻으려면 죄와 싸우고 세상과 싸우고 마귀와 싸워야 한다. 이 싸움은 회피할 수 없는 싸움으로서 휴전도 없고 정전도 없다. 우리가 싸워야 할 대상인 죄와 세상과 마귀는 실로 난적(難敵) 중의 난적이요 강적 중의 강적이다. 그러나 우리가 하나님 편에 있기만 하면 난적도 누워서 식은 죽 먹기다. 우리가 하나님 손에 들리기만 하면 강적도 단칼에 벨 수 있다. 우리가 하나님의 비밀 병기이기만 하면 적의 강함은 우리를 주눅 들게 하는 것이 아니라 우리의 전투 의지를 불태울 뿐이다.

불사조 같은 죄와 싸운다

십자가가 무엇인가? 죄와 싸운 흔적이 아닌가? 주님은 피 흘리기까지 죄와 싸우셨다. 그러나 우리는 여태껏 그렇게까지 싸우지 못했다(히 12:4). 그리스도인이 그리스도를 본받는 자라면 우리도 주님을 따라 피 흘릴 각오로 죄와 싸우는 영적 전사가 되어야 한다.

미국의 유명한 부흥사인 빌리 선데이(Billy Sunday)는 죄와 싸우는 영적 전쟁에 적극적이었다. 그는 이렇게 외쳤다.

"나는 죄와 싸우겠다. 머리를 갖고 있는 한 죄를 받아 버리겠고, 이를 가지고 있는 한 죄를 물어뜯겠다. 내가 늙어서 주먹도, 발도, 이도, 힘도 없다면 영광의 집에 들어가기까지 잇몸으로라도 죄와 싸우겠다."

하나님은 아무리 작은 죄라 할지라도 버리지 않으면 우리를 용납하지 않으신다. 용서에 있어서 하나님은 아무리 큰 죄라 할지라도 회개하면 조건 없이 사하신다(요일 1:9). 죄는 기도를 가로막는 담벼락 같기 때문에 영적 전쟁을 수행하는 그리스도인들은 반드시 이 문제를 선결해야 한다. 죄는 하나님과 우리 사이를 갈라놓는다. 이간질시킨다. 하나님의 얼굴을 가려 우리의 기도가 상달되지 못하도록 방해한다. 많은 기도를 드려도 단 한 마디의 응답을 얻지 못하는 것은 죄가 원인이다. 수천 번의 번제를 드리고 감동적인 예배를 드려도 죄를 털어 버리지 않으면 헛수고다.

> 여호와의 손이 짧아 구원하지 못하심도 아니요 귀가 둔하여 듣지 못하심도 아니라 오직 너희 죄악이 너희와 너희 하나님 사이를 갈라놓았고 너희 죄가 그의 얼굴을 가리어서 너희에게서 듣지 않으시게 함이니라 (사 59:1-2)

죄와 싸우려면 죄로 이끌리는 자신을 먼저 쳐서 복종시켜야 한다. 바울은 이 문제에 있어 철저했다. 그는 날마다 싸웠고 날마다 죄에 대해 죽었다. 매일의 죽음(daily dying)이 그를 날마다 충만한 생명에 거하게 했다. 죄가 있는 곳에 성령의 임재는 없다. 빛과 어둠은 공존할 수 없다. 바울의 고백처럼 우리가 원하는 것을 하지 못하고 원하지 않는 것을 행함은 우리 속에 거하는 죄의 세력 때문이다. 죄는 우리의 생각 이상으로 끈질긴 실체다. 한번 달라붙으면 떼어 내기가 여간 어렵지 않다. 죄는 마치 불사조처럼 죽여도 죽지 않는 세력이다. 자신을 죄에 대해 죽은 자로 간주해야 한다.

십자가에서 주님이 죽으실 때 우리의 옛 사람이 주님의 허리에 묶여 함께 죽은 것은 사실이다. 우리는 이 사실에 대해 아무 느낌도 갖지 못할 수 있다. 느낌(feeling)보다 강한 것은 사실(fact)이다. 죄는 하나님께 등을 돌리는 것이다. 회개란 방향 전환을 의미하는 것으로 하나님의 면전에 나를 세우는 것이다. 죄는 관계의 파괴지만, 회개는 하나님과의 관계를 정상화하는 것이다. 빗나간 과녁을 제대로 맞히는 것이다. 초과된 몸무게를 정상치로 줄이는 것이요, 경계선을 지나친 곳에서 되돌아옴이다.

죄와의 싸움에서 가장 기본은 회개다. 회개는 본격적인 싸움에 앞서 싸울 채비를 하는 것이다. 모든 무거운 것과 얽매이기 쉬운 죄를 벗어 버림이다. 우리가 진정 하나님의 은혜 아래 있다면 죄가 감히 우리를 주관할 수 없다. 우리를 속박하는 것은 죄의 원리가 아니라 성령의 원리다.

하나님을 거스르는 세상과 싸운다

세상은 유혹의 전시장과 같다. 성도들이 살아가는 터전이면서 성도들을 무너지게 만드는 곳이다. 세상을 사랑하여 독생자를 보내신 하나님께서 세상을 사랑하지 말라고 하셨다. 단순한 권고 차원을 벗어나 강력한 명령을 내리셨다. 세상을 사랑하면 아예 하나님의 사랑이 그 안에 거하지 않는다고 단언하셨다.

우리가 사랑하지 말아야 할 세상은 세속의 근원지로서의 세상이다. 하나님을 배제한 생활 패턴이다. 악의 축 곧 악의 체계로서의 세상이다. 이 체계는 영적 지배자인 사탄이 세운 체계다. 마귀가 전략적으로 만든 세계경영 시스템이다. 이를 성경은 마귀의 궤계(strategies of Satan)라고 부른다.

세상의 체계는 하나님의 통치 시스템을 거스른다. 둘은 공존할 수 없고 항상 대립한다. 세상의 체계를 삼각대처럼 안정되게 받쳐 주는 것이 바로 육신의 정욕과 안목의 정욕과 이생의 자랑이다. 이는 매우 감각적이다. 인간의 삶을 들여다보면 탐욕과 자랑에 연루되지 않은 것이 없다. 욕심의 끝은 황폐한 무덤이다. 자랑의 끝 역시 바람 빠진 풍선처럼 허무밖에 남지 않는다.

사랑하지 말라 함은 마음을 뺏기지 말라는 말이다. 다시는 사로잡히지 말라는 뜻이다. 이전처럼 세상 풍조를 따르지 말라는 것이다. 같은 배에 타지 말라는 것이다. 왜 그래야만 하는가? 이 세상은 흔적도 없이 사라질 것이기 때문이다. 배가 파선하면 승선했던 사람들도 함께 수장된다. 그리스도인은 세상적인 감각을 따라 살지 않고 성령의 감동을 따라 산다. 인간의 정욕이나 자랑도 마찬가지다. 사도 요한은 성도들이 세상 체계와 질서를 사랑(아가페)하지 말라고 경고했다. 아가페의 사랑은 하나님에게서 나온 유일한 사랑으로서 오직 하나님을 사랑하는 일에만 사용해야 한다.

악의 축인 세상의 체계가 한 일이 무엇인가? 하나님의 아들을 죽이지 않았던가? 주님을 욕보여 죽인 세상을 사랑한다는 것은 주님을 또다시 십자가에 못 박는 것과 같은 행위다. 거룩한 사랑을 세상 체계에 쏟지 말아야 한다. 우리가 쏟고 바쳐야 할 사랑의 대상은 선의 축 곧 사랑과 공의가 실현된 천국의 체계다. 주님은 이 세상과 싸우셨고 승리하셨다. 세상을 이기는 것은 승리자 주님을 향한 담대한 믿음이다.

바울은 믿었던 동역자 데마가 세상을 사랑하여 그를 버리고 향락의 도시였던 데살로니가로 갔을 때 마음 아파했다. 세상과 친구가 되면 하나님과 원수가 된다. 한 사람이 두 주인을 섬길 수 없듯이 그리스도인은 천국의 체계와 세상의 체계를 동시에 수용할 수 없다. 승강기(昇降機)는 글자 그대로 사람들을 올리는 기구다. 세상에 있는 모든 것, 사람들이 추구하는 육신의 정욕과 안목의 정욕과 이생의 자랑은 승강기처럼 사람들을 원하는 높이까지 올리기도 하지만 원하지 않는 바닥으로 내리기도 한다.

상대하기 까다로운 악한 영과 싸운다

마귀는 대적하기에 무척 까다로운 적이다. 포착하기도 힘들고 포획은 꿈도 못 꿀 일이다. 마귀에 대해 깊이 알 필요야 없겠지만 적어도 성경이 계시하는 한도 내에서 정확한 지식을 가져야 한다. 마귀에 대한 이해가 있어야 큰 틀에서 전략(what to do)을 짤 수 있고, 마귀를 다루신 주님의 도우심으로 보다 구체적이고 실질적인 전술(how to do)을 개발할 수 있다.

마귀는 능력이 우리보다 월등한 존재인 것만은 틀림없지만 두려워할 대상은 아니다. 싸워서 극복할 대적이다. 하나님이 우리에게 주신 것은 두려움이나 연약한 마음이 아니다. 능력과 사랑과 근신하는 마음이다. 하나님이 주시는 능력으로 얼마든지 마귀와의 싸움에서 이길 수 있다. 우리의 싸울 대상은 일차적으로 마귀다.

눈에 보이지 않는 사탄의 첨병 역할을 하는 조직이 있는데, 바로 사탄교(Church of Satan)다. 그들은 비교적 짧은 역사에도 불구하고 매우 조직적이다. 몇 개의 잡지를 정기 발행하며 미디어를 통해 수시로 홍보한다. 『검은 불꽃(*Black Flame*)』, 『갈라진 발굽(*Cloven Hoof*)』, 『지옥으로부터(*From the Pit*)』 같은 수십 종의 간행물을 발간한다. 사탄교의 홈페이지를 클릭하면 "우리는 소수의 탁월한 개인을 찾고 있다"는 문구가 뜬다. 사탄의 근위대 역할을 할 헌신자를 구한다는 말이다.

안톤 라베이(Anton Lavey)가 1966년 4월 30일에 창설한 사탄교는 미국에서 왕성하게 활동 중이다. 사탄교의 창설자이자 1대 교주인 안톤 라베이를 거쳐 2002년부터 페기 나드라미아(Peggy Nadramia)가 5대 교주로 활동 중이다. 그녀는 사탄교의 실질적인 실력자요 4대 교주였던 피터 길모어(Peter Gilmore)의 아내다.

사탄교는 죄의 목록(9개)과 신조(9개)와 규칙들(11개)을 신념 체계로 두고 있다. 사탄 성경은 사탄교에서 권위 있는 문서로 간주되는데 지금까지 28쇄를 찍고 100만 부 이상 팔려 나갔다.

회원은 보통의 등록 교인과 다섯 등급으로 세분화된 정규 회원으로 나뉜다. 등록 교인은 교회에 출석만 할 뿐 아무 규약이 없으나 정규 회원에게는 일반인에게 공개되지 않는 요구 사항들이 부과된다. 우선 200달러의 회비를 내면 붉은 카드를 교부받고 정규 회원으로 등록된다. 또한 장문의 질의에 동의하면 1등급 정규 회원으로 인정된다. 하위 등급에서 승급이 되려면 누군가의 초청을 받아야 한다. 3등급에서 5등급까지는 소위 제사장 계급으로서 그들 내부에서 영예로운 칭호로 불린다. 회원 정보는 비공개이므로 정확히 파악할 수는 없지만 미국에만 80여 개의 교회와 10만 이상의 교인이 있을 것으로 파악된다.

전 세계의 사탄숭배자들을 고려한다면 그 숫자는 결코 적은 숫자가 아닐 것이다.

C. S. 루이스는 『스크루테이프의 편지』에서 그리스도인들이 마귀에 대해 둘 중 한 가지 잘못을 범하고 있다고 했다. 마귀에 대해 도에 지나칠 만큼 관심을 쏟거나, 아니면 마귀의 존재 자체를 아예 무시해 버리는 것이다. 마귀는 우리의 실존만큼 현존하는 실체다. 마귀의 존재를 부인하는 것 자체가 영적 전쟁에서 패배하는 것이다. 있는 존재를 없다고 주장한다고 해서 없어지는 것이 아니다.

마귀는 어떤 존재인가?

마귀는 사탄이라 불린다. 사탄은 다양한 이름을 지녔다. 참소하는 자, 시험하는 자, 살인한 자요 거짓말하는 자, 바알세불(파리 대왕), 우는 사자, 광명한 천사, 시대의 신, 세상 임금, 이 세대의 신, 공중 권세 잡은 자, 아침의 아들 계명성, 리워야단, 뱀, 용 등이다.

사탄은 가장 높은 자리에서 군림만 하지 않는다. 그 어떤 악령들보다 부지런히 활동한다. 그가 하는 일이란 인간을 파멸의 길로 이끄는 것이다. 그는 인간으로 하여금 죄를 짓게 한다(창 3:1-6). 질병을 퍼트리고 고통을 유발시킨다(행 10:38). 최강 병기인 죽음의 칼날을 휘두른다(히 2:14). 덫을 놓고 신자들을 함정에 빠뜨린다(딤전 3:7). 마음에 악한 목적을 집어넣는다(요 13:2; 행 5:3). 인간 속에 들어가서 통제한다(요 13:27). 하나님의 백성 속에 거짓을 심어 넣고(마 13:39), 마음에서 하나님의 말씀을 제거한다(막 4:15). 하나님의 종들을 괴롭히고(눅 22:31; 고

후 12:7) 하나님의 종들을 투옥시킨다(계 2:10). 하나님 앞에서 신자들을 참소한다(계 12:10).

마귀는 인격적인 존재다. 지성(겔 28:17; 고후 11:3; 약 3:15)과 감정(계 12:17)과 의지(딤후 2:26)를 지녔다. 그는 성도의 철천지원수다. 마귀(Devil)는 신성을 지닌 악(divine evil)이다.

영적 전쟁은 하나님이 시작하신 싸움이 아니다. 사탄이 걸어온 싸움이다. 하나님이 주도권을 쥐고 계시지만 우리의 원수는 전면적으로 반역하며 우리가 살아가는 세상에서 막강한 영향력을 행사한다. 그들의 역사도 하나님처럼 보이지 않고 초자연적이다. 인간 영혼을 파멸시킴에 있어 그는 놀라울 정도로 집요하며 그 기술 또한 지극히 정밀하다. 권력을 지향하고 물질을 추구하는 인간의 마음을 잘 알기에 그것들을 보이면서 부추긴다. 권력자들의 영혼을 사서 어떻게든 선과 거룩함을 훼방하고 하나님의 뜻과 섭리를 훼방하려 든다.

그 방도는 참으로 다양하다. 악령이 인간의 마음을 파괴하여 하나님과의 관계와 하나님과 함께하는 삶을 망가뜨린다. 영적으로 집중 공격하여 결국 그 존재를 파탄시켜 사멸에 이르게 한다. 누군가 귀신이 들리면 기도와 금식으로 영적 전쟁을 수행해야 한다. 영적 상태가 굳건한 자가 악령에 억눌린 자에게 실제적인 도움을 줄 수 있다.

성경에는 영적 전쟁의 구체적인 과정에서 마술과 관련된 책들을 불사른 경우가 나온다. 에베소서 6장에 묘사된 영적 무장은 수세기에 걸친 로마 군인의 무장을 연상시킨다. 가장 눈에 띄는 표현이 구원의 투구와 의의 호심경인데 이는 이사야 59장 17절에도 나타난다. 시편 18

편에는 원수의 계략을 깨트리시는 하나님의 모습이 그려진다. 전장은 육신의 영역에서 영적 영역으로 옮겨 간다.

창세기 3장의 뱀(나카쉬)은 속삭이며 유혹하는 자다. 하나님이 인간에게 통치권을 주셨지만 마귀가 인간을 자신의 말에 복종시켜 노예로 만들고 그 권세를 찬탈했다. 타락한 천사장이 사탄이라는 이해는 신교, 가톨릭, 동방정교회 모두 동일하다. 이 확신은 교부들의 저술이나 신경(信經)에 그대로 반영되고 더욱 강화되었다.

사탄의 최종 목표는 인간과 세상을 향한 하나님의 목적을 훼방하는 것이다. 그는 불신자가 믿는 것을 원하지 않고 신실한 신자가 되는 것을 방해한다. 신자의 경우에는 믿음에서 떠나도록 동원할 수 있는 모든 방법을 사용한다. 그는 거짓의 아비요 형제들을 참소하는 자다.

사탄과 귀신에 대한 주제는 사복음서와 사도행전에 명확히 나온다. 바울은 사탄의 역사보다는 정사와 권세를 이기신 그리스도의 승리에 초점을 맞추었다. 계시록은 그리스도의 부활로 말미암아 사탄이 패배하여 영원히 결박당하는 것을 묘사한다. 외경과 위경에는 마귀론이라 할 만큼 관련 내용이 풍성하다.

가장 명확한 영적 전쟁 기사는 다니엘 10장에 있다. 다니엘은 하나님께 지혜를 얻고자 3주 동안 기도하며 금식하고 있었다. 천사가 다니엘에게 와서 그가 기도하기 시작한 첫날에 주님에게서 파송받았지만 바사 왕의 저항으로 21일 만에 왔다고 했다. 그리고 대천사 미가엘의 도움으로 바사 왕의 견제에서 벗어났음을 설명했다.

천사장이 반역할 때 그 계획에 동조했던 타락한 천사들이 있는데 그들이 귀신이다.

귀신은 죽은 조상의 혼이 아니다. 네피림(창세기에 나오는 거인 종족의 이름–편집자 주)이 죽어서 귀신이 되었다든지, 귀신이 노아의 홍수 때 죽은 영혼이라든지, 불신자들의 죽은 영혼이라든지 하는 해석은 신빙성이 없다. 타락한 천사가 귀신이라는 명백한 구절은 없지만 성경의 전체적인 흐름을 볼 때 이 견해가 가장 적합하다.

요한계시록 12장에서는 용이 하늘의 별 삼분의 일을 땅으로 끌어내리는 것으로 묘사되었다. 지옥 불에 던져질 운명의 사탄은 하나님께 상처를 주려고 가능한 한 많은 영혼을 자기와 함께 데리고 가려고 한다. 사탄이 자신의 목적을 많이 이룰수록 하나님은 자식을 잃은 부모처럼 상처 받으신다. 하나님께 반기를 드는 것이 사탄의 존재 목적이다.

5장

어떻게 무장해야 하나?

마귀의 간계를
능히 대적하기 위하여
하나님의 전신갑주를 입으라
엡 6:11

적과의 싸움에서 이기려면 철저한 무장을 해야 한다. 아무리 고된 훈련을 받아도 실전에 임했을 때 무장이 열악하면 이길 수 있는 싸움도 이기기 어렵다. 무장을 완벽하게 갖추어 적절하게 활용해야 전투 효과를 높일 수 있다. 무엇보다 중무장이 필요하다. 공격적인 무기와 방어에 필요한 무기에 익숙해야 한다. 관망하면 원수의 밥이 되고 만다. 영적 전쟁에서도 다를 바가 없다. 우리의 영혼이 적의 포로가 되거나 살해되지 않고 살아남으려면 무장을 잘해야 한다.

적을 무찌르고 이기기 위해서는 최강의 무장을 해야 한다. 바울은 에베소서 6장에서 그리스도인이 필히 구비해야 할 영적 무장의 매뉴얼을 정확히 제시했다. 무장의 출발은 주님 안에 거함이다. 주님이 제공하시는 능력으로 강건함을 힘입어야 한다. 강건함 없이는 무거운 전신갑주를 걸치고 걸음조차 떼기가 어렵다. 하나님이 마련하신 영적 무장을 하려면 평복 차림으로 활동할 때만큼의 근력을 지녀야 하는 것이다. 주님 안에 거함은 영적 무장의 전제 조건이다.

끝으로 너희가 주 안에서와 그 힘의 능력으로 강건하여지고 마귀의 간계를 능히 대적하기 위하여 하나님의 전신갑주를 입으라 우리의 씨름은 혈과 육을 상대하는 것이 아니요 통치자들과 권세들과 이 어둠의 세상 주관자들과 하늘에 있는 악의 영들을 상대함이라 그러므로 하나님의 전신갑주를 취하라 이는 악한 날에 너희가 능히 대적하고 모든 일을 행한 후에 서기 위함이라 그런즉 서서 진리로 너희 허리띠를 띠고 의의 호심경을 붙이고 평안의 복음이 준비한 것으로 신을 신고 모든 것 위에 믿음의 방패를 가지고 이로써 능히 악한 자의 모든 불화살을 소멸하고 구원의 투구와 성령의 검 곧 하나님의 말씀을 가지라(엡 6:10-17)

마귀는 십자가에서 치명상을 입어 원기를 크게 상했다. 모든 것을 잃었지만 그에게 아직도 남아 있는 것이 있다. 궤계, 즉 속이는 기술이다. 녹은 슬었지만 살상력이 높은 무기도 지니고 있다. 이를 대적하기 위해서는 반드시 하나님의 전신갑주를 입어야 한다. 전신갑주로 무장하지 않으면 마귀의 가공할 무기들이 어느 부위로 날아올지 모른다. 교묘한 마귀의 공격을 견디려면 신묘막측한 하나님의 전신갑주로 무장해야 한다. 하나님의 전신갑주가 무엇인가? 예수 그리스도다. 예수 그리스도의 보혈로 우리의 전신을 감싸야 한다. 악한 날에 악한 자를 대적하고 의연히 서려면 필히 전신갑주로 무장해야 한다.

마귀는 비록 결박을 당했으나 그의 사특한 지혜마저 감금된 것은 아니다. 마귀가 누구인가? 하나님의 첫 피조물인 아담과 하와를 유혹했던 장본인이다. 하나님의 아들을 시험하고 위세에 눌려 도망간 것이 아니라 잠시 물러나 호시탐탐 기회만 엿보던 무서운 대적이다. 성도가 방심하면 자신도 모르는 사이에 마귀에게 무장 해제를 당하고 만다. 두려운 일이다.

진리의 허리띠를 단단히 맨다

로마의 군사는 장식이 잘 된 가죽용 띠(cingulum)를 맸는데 각종 무기까지 휴대할 수 있도록 제작되었다. 허리띠가 없으면 바지가 흘러내려 걷는 데 어려움을 준다. 허리띠를 잘 매면 든든함을 느낀다. 허리띠는 힘의 상징이다.

이 하나님이 힘으로 내게 띠 띠우시며 내 길을 완전하게 하시며(시 18:32)

진리의 허리띠를 띠는 것은 진리로 인해 기뻐함이다. 하나님은 다윗에게 슬픔의 베옷을 벗기고 기쁨으로 띠 띠우셨다. 진리이신 주님은 금띠를 띠셨다. 성경 66권은 그리스도인에게 허리띠 역할을 한다. 거짓으로 흘러가지 않게 막는 것은 진리다. 진리로 무장하면 심령이 든든하다. 사탄의 거짓과 미혹의 영에 넘어가지 않으려면 진리로 허리를 단단히 매야 한다. 그러면 진리 위에 굳게 서서 이단사설에도 흔들리지 않는다. 이는 메시아의 치장이기도 했다.

공의로 그의 허리띠를 삼으며 성실로 그의 몸의 띠를 삼으리라(사 11:5)

진리란 화석화된 교리가 아니라 공의와 성실처럼 삶에서 드러나는 것이다. 허리띠는 기동성을 돕는다. 이스라엘 백성은 출애굽 직전에 허리띠를 띠고 급하게 유월절 음식을 먹었다. 신실한 종은 늘 허리에 띠를 띠고 주인이 돌아오기를 기다린다.

의의 호심경을 덧입는다

로마의 군사는 갑옷(catafracta)을 가슴에 둘렀다. 데살로니가전서 5장에는 믿음과 사랑의 호심경으로 나온다. 우리를 의에 이르게 하는 믿음과 하나님의 의를 완성시키는 사랑이기에 결국은 같은 말이다. 불의의 파상 공격이 마음을 겨냥하기 때문에 전신갑주 위에 한 겹을 더 껴입는다. 그것이 가슴보호대 같은 호심경이다. 심장에 화살이 꽂히거나 칼이 박히면 생명이 위독하다. 심장에 상처가 나면 어느 부위보다 위험하기에 이런 장치를 한다. 그리스도를 믿음으로 말미암아 얻은 의는 우리의 영혼을 안팎으로 둘러싼다. 원수가 쏘는 정죄의 불화살도 그것을 뚫지 못한다.

그러므로 이제 그리스도 예수 안에 있는 자에게는 결코 정죄함이 없나니 (롬 8:1)

그리스도가 우리의 의가 되신다. 참소자가 감히 고발하지 못한다. 그리스도인은 형벌과 죄책감에서 벗어나 의의 능력으로 담대함을 누린다. 그리스도가 우리를 대신하여 죄가 되심으로 우리는 은혜로 말미암은 믿음 안에서 하나님의 의가 되었다. 그리스도인이 두른 호심경은 하나님의 의로 된 것이다. 이사야는 구원의 옷에 덧입힌 의의 겉옷도 언급했다. 우리에게는 입법자요 재판장이신 하나님을 아버지로 두신 주님이 변호사로 계신다.

> 누가 능히 하나님께서 택하신 자들을 고발하리요 의롭다 하신 이는 하나님이시니(롬 8:33)

복음의 신을 동여맨다

로마의 군사들은 미끄럼 방지용으로 바닥에 철제 징을 박은 신발(caliga)을 신었다. 앞부분이 트인 이 신발은 가죽끈으로 발에다 동여매도록 되어 있었다. 신이 온전해야 나아가고 물러감에 지장이 없다. 복음의 신은 전도를 상징한다. 신발은 걸을수록 닳아 없어지지만 복음의 신은 걸을수록 강해진다. 바울의 영적 군화는 가장 강하고 튼튼했을 것이다.

> 좋은 소식을 전하며 평화를 공포하며 복된 좋은 소식을 가져오며 구원을 공포하며 시온을 향하여 이르기를 네 하나님이 통치하신다 하는 자의 산을 넘는 발이 어찌 그리 아름다운가(사 52:7)

아름다운 소식을 전하는 자의 발이 아름다운 이유는 숫돌에 갈아

빛이 나는 쇳덩이처럼 영혼의 발이 구령열(영혼 구원에 대한 열정)에 달궈졌기 때문이다. 그리스도의 복음은 평화의 복음이다. 로마의 군사들은 신을 신고 전쟁터를 누볐지만 그리스도인이 신은 복음의 신은 평화를 달고 간다. 이 신은 분쟁과 갈등이 아니라 평화를 가져오는 복음의 신이다. 복음 전파를 내걸면서 소란을 일으키는 것은 복음이 아니다. 평안을 가져오는 신을 신는 것은 복음이신 주님과 동행하는 것이다. 에녹은 하나님과 동행했다. 함께 걸었다. 하나님과의 동행으로 자신의 신을 삼았다.

구원의 투구를 깊숙이 눌러쓴다

로마의 군사는 머리를 보호하기 위해 놋으로 만든 투구(cassis)를 착용했다. 원수는 필살일격을 노리고 머리를 노리지만 그리스도인은 이미 구원의 투구로 보호된다. 이사야 선지자도 하나님이 자기 백성에게 구원을 투구처럼 머리에 씌어 주심을 언급했다. 바울은 이 투구를 구원의 소망의 투구라고 불렀는데, 이는 구원의 확신과 더불어 구원의 완성에 대한 소망을 품어야 함을 의미한다.

구원받은 성도는 사탄과의 싸움에서 치명상을 입지 않는다. 원수가 해할 수 없을 만큼 하나님의 구원은 완전하고 안전하다. 구원의 확신이 분명하지 않다면 투구가 깨지거나 약간 벗겨진 상태다. 기회만 엿보는 적에게는 호기이지만 그리스도인에게는 절체절명의 위기다. 무엇보다 영적 전쟁에 임하는 모든 그리스도인은 구원 문제에서 확신을 가져야 한다.

성도는 구원받은 자로서 흑암의 권세로부터 건짐을 받고 이미 아들의 나라로 옮겨졌다(골 1:13). 이 구원은 하나님의 은혜에서 비롯되었고, 성도는 하나님과 예수 그리스도의 은혜로 구원받았다. 그리스도인이 받은 구원은 크고 영원하기에 결코 등한히 여겨서는 안 된다.

성령의 검을 정확히 휘두른다

로마의 군사는 넓고 짧아 백병전(무기를 가지고 적과 직접 몸으로 맞붙어서 싸우는 전투-편집자 주)에 매우 효율적인 칼(gladius)을 착용했다. 원수를 공격할 수 있는 유력한 무기가 하나님의 말씀이다. 하나님의 말씀은 명검 중의 명검이다. 요한이 본 환상에서 주님의 입에서 예리한 검이 나왔다. 예리한 검이란 좌우에 날이 시퍼렇게 선 칼을 말한다.

> 하나님의 말씀은 살아 있고 활력이 있어 좌우에 날선 어떤 검보다도 예리하여 혼과 영과 및 관절과 골수를 찔러 쪼개기까지 하며 또 마음의 생각과 뜻을 판단하나니(히 4:12)

말씀은 사탄의 공격을 막는 동시에 공격용 무기로 전환된다. 보통 검은 오래 사용할수록 무뎌지지만 성령의 검은 사용할수록 더욱 예리해진다. 말씀은 그리스도인에게는 생명을 주는 활인검(活人劍)이 되지만 원수에게는 치명상을 입히는 살마검(殺魔劍)이 된다. 하나님의 말씀이 곧 전능이다. 하나님의 말씀에는 불가능이 없다. 말씀의 검은 사탄에게는 최상의 공격 무기다. 사탄에게 상처를 입히는 데는 이만한 무기도 없다.

바울 일행은 진리의 말씀과 하나님의 능력 안에서 의의 무기를 양손에 들고 사역에 임했다. 말씀의 위대한 사역 앞에 원수의 견고한 진들은 무너졌고 지옥으로 끌려가던 많은 영혼이 하나님의 품으로 돌아왔다. 말씀은 불이 되고 방망이가 되어 사를 자를 사르고 부술 자를 부순다. 원수를 불사르고 파멸에 이르게 하는 것은 하나님의 말씀이요 말씀이신 주님이다.

믿음의 방패를 꽉 붙든다

로마의 군사는 온몸을 보호할 수 있을 만큼 커다란 방패(scutum)를 가졌다. 믿음은 원수가 내리치는 칼, 찌르는 창, 날아오는 화살을 모두 막는다. 막지 못할 무기가 전혀 없다. 믿음이 약하면 방패도 약해진다. 믿음이 흔들리면 방패를 잡은 손에 기력이 없다. 믿음은 신뢰하고 의지하는 것이다. 하나님을 나의 피난처로, 의지할 반석으로 삼는 것이다. 믿고 의지하면 주님이 나를 옷자락으로 감싸시며 날개 그늘 아래 숨기신다. 다윗이 잡은 믿음의 방패는 강했다. 그가 하나님을 철저히 신뢰하고 의지했기 때문이다.

여호와는 나의 반석이시요 나의 요새시요 나를 건지시는 이시요 나의 하나님이시요 내가 그 안에 피할 나의 바위시요 나의 방패시요 나의 구원의 뿔이시요 나의 산성이시로다(시 18:2)

하나님은 그에게 피하고 그를 의지하는 모든 자의 방패가 되신다. 다윗은 무섭게 무장한 골리앗과의 싸움에서 하나님 신앙만을 방패로 삼았다. 골리앗의 칼이 다윗의 심장을 찌르기 전에 다윗의 물매가 먼저 그에게로 날아갔다. 다니엘의 세 친구 사드락, 메삭, 아벳느고는 불 가운데서 구원하실 하나님을 믿었다. 그리 아니하실지라도 하나님을 믿겠다는 백절불굴의 믿음을 방패로 삼았다. 그러자 불이 느부갓네살의 병사들을 삼켰다. 적의 공격을 막아 줄 방패는 순종하고 행하는 믿음이다. 귀신들의 불완전한 믿음은 믿고 떨지만 그리스도인의 온전한 믿음은 믿고 행한다.

기도의 화살을 멀리 날린다

로마의 군사는 활(arcus)과 화살(saggita)을 지녔다. 모든 기도와 간구는 화살이요 저격용 총이다. 다양한 형태의 기도를 총동원하여 그 가공할 광선을 원수에게 쏜다. 이는 적의 심장을 관통할 수 있는 최종 병기다. 바울은 영적 무장에서 두 번째 공격 무기로 기도를 말한다.

모든 기도와 간구를 하되 항상 성령 안에서 기도하고(엡 6:18)

모든 기도는 경성함으로 드리는 기도다. 곧 자신의 행동에 대하여 깨우쳐 돌아보고 살피는 것이다. 항상 성령 안에서 하는 기도는 중보기도로서 정밀타격용 미사일과 같다. 중보기도의 대상은 모든 성도와 말씀을 전하는 사역자들이다. 사탄을 무력하게 만드는 것이 성도가 드리는 기도다. 중보기도는 영적 장애물을 제거하거나 통과하게 만든다. 마귀의 접근을 원천적으로 봉쇄하는 것이 중보기도의 능력이다. 그리스도인의 중보기도는 궁수이신 하나님이 원수 마귀를 향해 화살을 쏘게 한다.

하나님께는 고통과 죽음의 불화살이 있다(욥 6:4; 시 7:13; 애 3:12). 바울이 말한 기도는 불화살 같은 기도가 아니다. 그는 기도를 무기로 직접 표현하지는 않았지만 앞에서 설명한 영적 무장과 연관시켜 생각할 때 기도를 영적 무장의 하나로 보는 것은 당연하다. 그럴 경우에 로마 군병의 무장을 예로 하여 기도를 화살로 간주하는 것이다. 여기에서 말하는 기도의 화살은 영적 전쟁에서 사탄에게 상처를 입히기 위한 공격용 무기를 의미한다.

2부

강한 용사는 날마다 승리한다

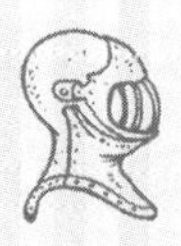

우리는 전투력이 뛰어난 용사 집단을 이뤄야 한다.
목자의 품에 안긴 양 떼이기를 거부해야 한다.
병들고 지친 양 떼를 위해 이리와 싸울 만큼
강인한 양으로 태어나야 한다

사람들은 한계 상황에서 싸우지만 우리는 그리스도인이기에 싸운다. 도피할 수 없는 극한 상황에서 사람들은 손에 잡은 쟁기를 버리고 무기를 챙긴다. 그러나 그리스도인은 한 손으로 일을 하고 한 손에는 병기를 잡았던 느헤미야와 이스라엘의 백성들처럼 그리스도인이 되는 순간부터 무장을 한다. 그리스도인이 된다 함은 그리스도의 군사가 된다는 말이다.

영적 전쟁은 우리가 그리스도인이 되기 훨씬 전부터 있어 왔다. 개인적으로 보면 그리스도를 영접하는 순간부터 영적 전쟁이 시작되는 것처럼 느껴지지만 이 전쟁은 창세 이전부터 전개된 싸움이다. 우리는 그리스도인이 되는 순간 각자 영적 전투의 현장에 투입된다. 이 싸움은 살아 있는 동안 줄기차게 진행된다. 적의 정체는 분명하고 적의 전략도 파악했지만 싸워야 할 군사가 준비되지 않았다면 싸움은 해 보나 마나다.

그리스도인은 지기 위해 싸우지 않는다. 승리자 그리스도에게 속한 그리스도인은 이기기 위해 싸운다. 빅토르 위고는 말했다. "오늘의 문제는 싸우는 것이요, 내일의 문제는 이기는 것이요, 모든 날의 문제는 죽는 것이다." 그리스도인은 선포한다. "오늘의 문제는 싸움에서 이기는 것이요, 모든 날의 문제는 사는 것이다."

우리는 전투력이 뛰어난 용사 집단을 이뤄야 한다. 목자의 품에 안긴 양 떼이기를 거부해야 한다. 병들고 지친 양 떼를 위해 이리와 싸울 만큼 강인한 양으로 태어나야 한다. 능력을 키워야 한다. 원수 마귀는 막강하다. 그의 하수인들도 강하다. 용사는 군사 중에서 선별된 탁월한 집단이다. 용사는 훈련이 일상화된 자들이다. 성령은 용사의 영이시다. 우리는 성령의 충만으로 능력을 키워야 한다. 갑절의 능력을 받아야 한다.

그리스도의 용사는 기도로 싸운다. 중보기도의 영으로 싸운다. 출애굽기 17장에는 중보기도가 영적 전쟁의 승리에 결정적인 것임을 보여 주는 사건이 나온다. 여호수아가 백성을 이끌고 강한 아말렉 군대와 마주하고 싸울 때 그들보다 더 격렬한 싸움을 한 것은 모세와 그를 돕던 아론과 훌이었다. 이는 영적 전쟁에서는 전후방이 따로 없음을 보여 준다. 여호수아의 군대 이상으로 모세와 아론과 훌은 기도의 싸움터에서 비지땀을 흘렸다.

용의 군대를 대적한 것은 미가엘의 군대다(계 12:7-9). 미가엘은 천사들 중에서 영적 전쟁의 최강자인 용사에 속한다. 우리 가운데 미가엘의 군대가 일어나야 한다. 미가엘의 뜻은 "하나님과 같은 자 누구이랴?"다. 거룩한 군대를 통솔하시는 하나님은 만군의 여호와다. 성경에는 "만군의 여호와(여호와 체바오트. Jehovah Sabaoth)"라는 표현이 수도 없이 등장한다. 구약에서만 250회가량 나온다. 에스라 사람 에단은 자신이 남긴 유일한 시편에서 용사이신 여호와를 노래했다. 미가엘의 이름을 연상시키는 시구다.

> 무릇 구름 위에서 능히 여호와와 비교할 자 누구며 신들 중에서 여호와와 같은 자 누구리이까(시 89:6)

> 여호와 만군의 하나님이여 주와 같이 능력 있는 이가 누구리이까(시 89:8)

그리스도인은 지기 위해 싸우지 않는다.
승리자 그리스도에게 속한 그리스도인은
이기기 위해 싸운다. 그리스도인은 선포한다.
"오늘의 문제는 싸움에서 이기는 것이요,
모든 날의 문제는 사는 것이다."

1장

격파해야 할 사탄의 4가지 무기

우리 형제들을 참소하던 자
곧 우리 하나님 앞에서
밤낮 참소하던 자가 쫓겨났고
계 12:10

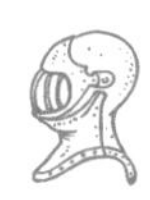

마귀를 다루고 대적하려면 그를 알아야 한다. 생사가 걸린 싸움에서는 적의 모든 것을 아는 것이 무엇보다도 중요하다. 정보가 없으면 그만큼 승리의 길은 멀고 험하다. 적을 알되 제대로 알아야 한다. 제대로 안다는 것은 확실하게, 속속들이 아는 것을 뜻한다. 적의 정체, 습성, 무장 상태, 강점과 약점 등을 파악해야 한다. 많은 부분에서 그리스도인들은 마귀의 정체를 소홀히 다룬다. 마귀는 지위가 상당히 높은 천사였다. 거룩한 기름 부음이 있었고 여호와의 영광을 덮은 그룹(케루빔, cherubim)이었다. 하나님과 겨루고 하나님이 되려 했던 존재다. 결코 업신여기거나 가볍게 다룰 대상이 아니다.

마귀는 인격적인 존재로서 자기를 무시하는 인간을 역시 무시한다. 그는 모방의 천재요 위장술의 달인이다. 그도 하나님의 삼위일체를 모방한다. 성부, 성자, 성령처럼 마귀와 적그리스도와 악령이 사탄의 삼위일체다. 마귀도 아비 행세를 하며(요 8:44) 자녀들을 두고 있다(마 13:38; 행 13:10; 요일 3:10). 적그리스도는 그의 사랑받는 아들이다(살후 2:3). 가룟 유다도 그의 아들이었고(요 17:12) 주님은 그를 한때 마귀와 동일시하셨다(요 6:70). 그래서 그의 운명도 마귀와 동일하게 영원한 멸망이다(계 17:8).

마귀는 왕권을 행사하는 통치자다. 왕으로서 왕국을 가졌고 도시도 가지고 있다(계 14:8; 17:5, 18). 세상의 임금으로서 왕좌가 있으나 마지막 날에는 심판을 받고 그 자리에서 쫓겨날 것이다. 하나의 적그리스도는 많은 거짓 그리스도들을 수하에 거느리고 있다. 불법한 자인 그는 거짓 평화를 가져오며, 여호와의 총회처럼 사탄의 총회가 있고, 그리스도의 복음처럼 다른 복음이 있고 귀신의 가르침을 펼친다.

생명의 권세를 지니신 주님을 본떠서 마귀는 사망으로 말미암아 사망의 권세를 잡았다. 선한 목자처럼 목자 행세를 하는 그에게는 양인 체하는 이리들이 있다. 그는 다른 예수를 전하고 다른 영을 받게 한다. 의의 일꾼임을 가장하는 사탄의 일꾼이 있고 사도들이 있으며, 그가 부리는 사자 곧 범죄한 천사들도 있다. 이 천사들은 하나님이 원래 정하신 지위를 지키지 않고 자기 처소를 떠난 자들이다. 범죄한 천사가 마귀의 소유가 되듯 범죄한 인간은 마귀에게 속한다.

마귀는 성경에 능통하다. 놀랄 만한 기적을 행한다. 이 세상에서 다스릴 정부를 가진 그는 이 세상의 신이다. 그는 가장 높은 곳을 좋아하지만 가장 낮은 곳이 그의 처소다. 그는 땅을 두루 돌아다니며 삼킬 자를 찾는다. 사람의 마음을 들락거리며 나쁜 생각을 집어넣는다.

사탄은 교활함과 간교함 덩어리다

사탄은 하나님의 피조물이 아니다. 사랑의 하나님은 본성상 사탄을 지으실 수 없다. 저절로 생겨난 것도 아니다. 하나님의 의지와 상관없이 생겨난 것이라면 하나님의 능력에 문제가 생긴다. 하나님이 지으신 뱀이 타락하여 마귀가 되었다고 해석하는 이들도 있으나 이는 옳지 않다. 에덴동산에 나타나 유혹자의 모습을 보인 뱀은 사탄이 아니다. 뱀의 형태로 나타났을 뿐이다. 성경에는 뱀의 타락을 암시할 만한 말씀을 찾아볼 수 없다. 계시록에서 사탄을 "옛 뱀"이라 칭한 것은 그런 의미가 아니다. 주님이 가룟 유다나 베드로를 가리켜 사탄이라고 부르셨다 해서 그들이 사탄이 될 수 없듯이 사탄을 옛 뱀이라 불렀다 해서 사탄을 뱀과 동일시하는 것은 모순이다.

하나님의 첫 피조물인 인간이 죄를 범하여 하나님의 형상을 잃어버리고 죄인이 되었듯이, 사탄은 하나님이 지으신 고위급 천사였으나 반역을 도모하여 영광의 자리를 잃어버리고 사탄이 되었다. 사탄은 대단한 영적 존재다. 영물 중에서도 영악하기 그지없다. 그의 시특한 지혜는 교활함과 간교함으로 똘똘 뭉쳐 있다.

사탄은 명백한 정체성을 갖고 있다. 사탄은 자주 '나'를 밝힌다. 간혹 스스로를 위장도 하지만 자신의 권세와 위엄을 나타내고자 할 때는 '나'를 분명히 한다. 주님은 거짓 목자가 되어 양 떼를 유린하던 도적의 정체를 밝히셨다. 그들이 목자로 위장하고 우리에게 들어오는 것은 오직 훔치고 죽이고 멸망시키기 위함이다. 그는 공중의 권세를 잡은 자이며, 어둠을 주관하는 자다. 사탄이 지나간 곳에는 파멸과 고통으로 가득하다.

사울 왕의 경우처럼 사탄은 사람을 괴롭힌다. 각종 질병으로 사람을 묶는다. 불신자들의 마음을 혼미하게 한다. 하나님의 말씀을 들을 때 대기하고 있다가 금세 말씀을 가로챈다. 좋은 씨가 뿌려진 곳에 가라지를 뿌려 성도의 영적 성장을 방해한다. 그는 하나님의 일을 하려는 자를 넘어트리려 한다.

십자가의 죽음을 만류하던 베드로를 향해 주님은 "사탄아, 물러가라! 너는 나를 넘어지게 하는 자로다"라며 꾸짖으셨다. 사탄은 참으로 뻔뻔한 존재다. 그는 불가능한 줄 알면서도 주님께 제자들의 영혼을 요구했다. 사탄도 제자들이 주님을 버리게 되리란 것을 알고 있었을지도 모르는 대목이다. 그래서 주님은 자신을 배신할 베드로를 위해 특별히 기도하셨다.

> 시몬아, 시몬아, 보라 사탄이 너희를 밀 까부르듯 하려고 요구하였으나 그러나 내가 너를 위하여 네 믿음이 떨어지지 않기를 기도하였노니 너는 돌이킨 후에 네 형제를 굳게 하라(눅 22:31-32)

하물며 우리같이 연약한 자들의 영혼을 요구하는 것쯤은 일도 아닐 것이다. 주님이 보좌 우편에서 그리고 우리 안에 거하시는 성령께서 우리의 믿음이 떨어지지 않기를 기도하실 것이다.

마귀는 살인자(Murderer)다

마귀는 흉악한 살인자다. 그는 생기면서부터 멸망할 때까지 사람의 영혼과 육신을 죽인 피에 절어 있다.

너희는 너희 아비 마귀에게서 났으니 너희 아비의 욕심대로 너희도 행하고자 하느니라 그는 처음부터 살인한 자요(요 8:44)

마귀가 언제 사람을 죽였는가? 왜 주님은 그를 가리켜 처음부터 살인한 자라고 단죄하셨는가? 사탄은 첫 사람들을 유혹하여 범죄하게 함으로 그들의 영혼을 죽게 만들었다. 죄의 값은 사망인데 그가 첫 사람들을 범죄하게 하여 죽음에 이르게 했으니 그는 영락없는 최초의 살인자다. 그 피가 가인에게 흘러 들어가 자신의 형제를 죽이게끔 했다.

사람의 목숨을 해치는 배후에는 반드시 살인의 영인 마귀가 도사리고 있다. 살인에서부터 테러, 자살, 전쟁, 인간에 의한 모든 형태의 폭력과 살육 행위는 마귀가 즐겨 행하는 놀음이다. 죽고 싶은 마음과 죽이고 싶은 마음은 "나냐? 너냐?"의 차이일 뿐 벌써 마귀의 올무에 잡힌 것이다. 살의로 번득이는 눈매와 살기가 감도는 분위기는 사람들을 섬뜩하게 만든다. 하루라도 살인 사건이 없는 날이 없다. 각종 언론 매체는 살인이란 붉은 기사로 넘쳐 난다.

마귀는 단순히 도둑이 아니라 살인을 저지르는 강도다. 주님 생전에 바리새인과 서기관들의 마음을 충동질하여 수차례나 살해를 모의했고 급기야 주님을 십자가에 매달아 죽였다. 마귀가 주님의 제자 가룟 유다의 마음에 주님을 팔려는 생각을 집어넣었다. 주님을 죽이려고 모의도 하고 시도도 했으나 실패했던 유대 당국과 유다의 배신이 딱 들어맞았다. 마귀는 요한을 제외한 주님의 열한 제자를 무참하게 죽이고 스데반과 바울도 죽였다. 마귀는 인간의 피, 특히 순교자의 피에 목말라한다. 살인자 마귀는 그리스도인의 마음에 증오의 씨앗을 몰래 심어 살인죄에 머물게 만든다.

> 그 형제를 미워하는 자마다 살인하는 자니 살인하는 자마다 영생이 그 속에 거하지 아니하는 것을 너희가 아는 바라(요일 3:15)

가인은 마음의 증오가 폭발하여 하나뿐인 동생을 죽였고, 요셉의 형제들은 아버지의 총애를 받는 배다른 동생을 노예로 팔아 버렸다. 내 마음에 미움이 싹트면 하나님 앞에서 살인자가 되어 영적 전쟁에서 마귀의 밥이 되고 만다. 미움의 가시채로 뒷발질하면 상하고 죽는 것은 내 영혼이다. 조심하고 또 조심할 일이다.

마귀는 속이는 자(Deceiver)다

사탄은 사기에 능한 재간꾼이다. 동식물을 비롯한 만물에 그 특성에 적합한 이름을 부여했던 아담은 지혜의 사람이었다. 분별력이 뛰어났던 그는 하나님의 유일한 수제품이었다. 사탄은 그런 아담을 단번에 속였다. 사탄이 직접 아담에게 접근했다면 하와처럼 쉽게 무너지지는 않았을 것이다. 사탄은 아담을 무너트리기 위해서 우회로를 택했고 그의 전법은 적중했다.

그는 온 천하를 꾀는 자다. 그는 속임의 기술을 인간 영혼을 미혹하는 일에 악용하지만, 간혹 하나님의 뜻을 이루기 위한 도구로 사용되기도 했다. 미가야 선지자가 본 환상에서 한 영이 하나님의 계획을 위해 자원하고 나섰다. 그는 거짓말하는 영이 되어 모든 선지자의 입을 통해 주장했고, 결국 아합은 하나님이 원하신 대로 길르앗 라못의 전쟁터에서 전사했다.

사탄은 교회에 잠입해서 성도들을 속이려 든다. 사탄의 공략대상 1호는 형제 간에 용서하지 못하는 심령이다. 우리가 하나님의 용서를 받았음에도 형제의 작은 허물과 죄를 용서하지 않는 것은 불순종의 죄에 빠지는 것이다. 더 두려운 사실은 용서하지 않는 신자의 영혼이 사탄에게는 맞추기 쉬운 표적이라는 점이다. 용서하지 않으면 우리가 받은 용서를 잃는다. 마태복음 18장의 비유를 자세히 살펴보라! 일만 달란트와 백 데나리온의 비유의 말씀이 끝나고 주님은 실제적인 말씀을 적용하면서 강변하셨다.

> 너희가 각각 마음으로부터 형제를 용서하지 아니하면 나의 하늘 아버지께서도 너희에게 이와 같이 하시리라(마 18:35)

마귀의 유혹은 사람을 가리지 않는다. 때와 장소도 가리지 않는다. 그는 치고 빠지기에 명수다. 그야말로 나비같이 날아와서 벌같이 쏜다. 영리하고 눈치도 빠르며 시세 판단도 정확하다. 그가 사용하는 언어는 가히 수준급이다. 세상의 어느 변사도 그의 언변을 당해 내지 못한다.

바울은 골로새교회 성도들에게 '교묘한 말(피타놀로기아, pithanologia)'에 속지 말 것을 경고했다. 교묘한 말이란 상대를 설득하기 위해 근사하게 들리는 논쟁(fine-sounding arguments)으로 꾸며 낸 말을 의미한다. 사람의 영혼을 공허하게 만드는 헛된 변론은 사탄의 자랑이다. 이단의 가르침을 전하는 자들은 교묘한 말에 능하다. 넘어뜨릴 가치가 있는 사람, 넘어뜨리기 쉬운 사람, 넘어뜨리고 싶은 사람을 저격수마냥 조준해서 사격한다. 한번 속이는 데 성공하면 쥐새끼처럼 영혼을 야금야금 갉아먹는다.

유혹의 인자는 사탄이 아닌 사람에게 있다. 미혹당하는 것은 자기 욕심에 이끌린 결과다. 사탄은 사람을 실족시키고 난 뒤에도 오리발을 내민다. 억울하다는 주장을 편다. 사람의 본성에 감춰진 것을 드러냈을 뿐이라는 궤변이다. 한편으로는 맞고 전체적으로는 틀리다. 유혹에 넘어간 사람에게도 일말의 책임이 있지만 한 영혼을 죄와 사망으로 넘어뜨린 일차적 책임은 전적으로 사탄에게 있다.

마귀는 시험하는 자(Tempter)다

사탄이 누구인가? 그는 시험의 달인이다. 그는 많은 하나님의 사람을 무너트렸다. 위대한 하나님의 종들이 그의 시험 앞에 맥없이 무릎을 꿇었다. 웬만한 신앙인들도 추풍낙엽처럼 쓰러져 갔다. 그는 하나님의 아들까지 시험했다. 어찌 감히 그럴 수 있는가? 사탄이기 때문에 가능하다.

그는 주님께 돌로 떡이 되게 하라고 했다. 능력의 선지자가 되라는 유혹이다. 주님은 이스라엘이 기다리던 선지자이셨다. 선지자들 중 누구도 돌로 떡을 만들지 못했다. 위대한 선지자 모세는 하늘에서 양식을 내리게 했지만, 그것은 모세가 내린 것이 아니라 하나님이 내려 주신 것이다. 어쨌든 만나의 강림은 그가 위대한 선지자임을 증거했다. 주님이 돌을 떡이 되게 하면 메시아로서 선지자 됨을 인정받으실 수 있었다. 그러나 주님은 그렇게 하실 수 없었다. 주님은 생명의 떡 그 자체였다. 떡으로 오신 그분의 성육신이 돌로 떡을 만드는 것보다 탁월했다.

주님에게는 세상이 알지 못하는 양식이 있었다. 제자들이 미처 깨닫지 못한 양식이 있었다. 곧 하나님의 뜻을 행하는 것이었다. 돌로 된 떡보다 영혼에 더욱 긴급한 것은 떡으로 임해 오신 하나님의 말씀이었다.

사탄은 주님께 성전 꼭대기에서 뛰어내릴 것을 요청했다. 성전은 하나님의 임재 처소였다. 이스라엘의 눈과 귀는 언제나 그곳에 쏠려 있었다. 만일 누군가 성전 꼭대기에 오르는 모습이 포착된다면 만인의 관심을 집중시킬 수 있을 것이다. 높은 꼭대기에 서서 두 팔을 벌린 채 공중에 몸을 내던지면 그 충격이 어떠할 것인가? 지금 사탄은 초자연적인 능력으로 주님을 성전 꼭대기에 세웠다. 투신해도 죽지 않을 것을 약속했다. 그것은 사탄 자신의 약속이 아니라 말씀에 근거한 약속이다. 하나님이 천사들에게 명령을 내려 주님의 발이 땅바닥에 닿지 않도록 보호하실 것을 상기시켰다. 이 얼마나 무서운 시험인가? 하나님의 말씀을 인용하면서 말씀이신 주님을 시험하다니!

이 시험은 주님의 제사장직에 대한 시험이다. 주님은 그러실 수 없었다. 세상에는 레위 지파의 제사 직분에 따라 적법한 제사장이 있었다. 주님의 제사장직은 그것과는 다른 반차에 따른 것이었다. 아비도 없고 어미도 없고 족보도 없고 시작한 날도 없고 생명의 끝도 없는 멜기세덱의 반차를 좇는 영원한 제사장이셨다. 더 좋은 언약의 보증과 중보가 되신 주님이 성전을 둘러싼 기적의 연출을 통해 레위 지파의 제사장직을 넘볼 이유가 없었다. 주님의 몸 자체가 성전이었으므로 성전을 파괴해서는 안 되었다. 주님은 성전 꼭대기에서 뛰어내림으로가 아니라 십자가 위에 매달리심으로 영원한 속죄 제물이 되셔야 했다. 주님은 시험의 대상일 수 없었다.

사탄은 주님을 지극히 높은 산으로 데려가 천하만국의 영광을 보여 주고 난 후에 자신에게 무릎 꿇기를 청했다. 천하만국의 영광과 단 한 번의 무릎 꿇기를 맞바꾸자는 거래였다. 겉보기에는 파격적인 조건이었다. 그러나 실질적으로 그것은 사탄의 야비한 흉계였다. 이 마지막 시험은 주님의 왕권에 대한 공개적인 도전이었다. 무릎 한번 꿇는다고 해서 주님의 왕권이 사라지는 것은 아니었다. 그러나 그것은 주님의 길이 아니었다. 주님의 나라는 이 나라에 속하지 않았다. 천하만국의 천만 갑절보다 더한 영광이 주어진다 해도 그것은 천국의 티끌만한 영광에도 미치지 못할 환영에 불과했다.

에서는 야곱의 흥정에 별다른 의미를 두지 않고 팥죽 한 그릇에 장자의 권리를 팔았다가 평생 후회하며 살아야 했다. 주님은 장차 사탄을 무릎 꿇리고 하늘과 땅의 모든 자들로부터 영광을 받으실 만왕의 왕이요 만주의 주님이셨다. 무릎을 꿇을 자는 사탄이었고, 경배를 받으실 분은 주님이셨다. 본질적으로 시험을 받을 수 없는 분을 시험한 것은 사탄의 오만함이요 돌이킬 수 없는 실수였다.

마귀는 참소자(Accuser)다

사탄은 끊임없이 하나님의 백성을 하나님 앞에서 참소하는 자다. 사탄의 다른 이름인 마귀(디아볼로스. diabolos)가 바로 '참소자'라는 뜻이다. 참소란 비방하고 헐뜯는 것이다. 에덴동산에 나타난 마귀는 첫 사람들에게 하나님을 넌지시 비방했고, 하나님의 보좌 앞에서는 의인 욥을 헐뜯었다. 사탄이 까닭 없이 욥을 비방했을까? 아니다. 하나님이 욥을 칭찬하시자 사탄 본유의 배앓이가 시작된 것이다. 욥이 까닭 없이 하나님을 섬길 리가 없다는 주장을 펴면서 임시 시험관의 자격을 얻었다.

요한계시록에는 공중에서 내쫓긴 마귀를 "우리 형제들을 참소하던 자 곧 우리 하나님 앞에서 밤낮 참소하던 자(계 12:10)"라고 묘사했다. 이 구절에서 마귀가 신실한 하나님의 사람을 참소하며, 그 참소가 조금도 쉴 틈 없이 진행된다는 사실을 알 수 있다. 그는 자신의 근본 사역에 지나칠 정도로 충실하다. 그리스도인이 참소를 미연에 방지하고 지혜롭게 대처하려면 한순간도 방심하지 말고 깨어 있어야 한다. 그가 밤낮 참소하니 우리도 밤낮 깨어 쉬지 말고 기도해야 한다. 이른바 맞불 작전이다. 정신을 차리지 않으면 언제 마귀의 비방을 당할지 모른다. 매일같이 순간순간 말씀으로 정한 마음과 정직한 영을 새롭게 해야 한다.

마귀는 뛰어난 고자질쟁이다. 그는 무죄 방면이 선고될 것을 뻔히 알면서도 성도들의 죄상을 폭로한다. 비난하고 정죄하며 중상모략을 한다. 실패해도 중단 없이 비방을 일삼는다. 먹혀들 때까지 마구잡이로 고해바친다. 마귀가 이처럼 비방과 고자질에 심혈을 기울이는 목적은 하나님과 인간 사이를 이간질시키고 반목시키는 것이다.

마귀가 참소하는 내용 중 가장 경계해야 할 것이 성도의 분노다. 성도가 한순간이나마 분노의 노예가 되면 성령은 근심하시고 사탄은 기뻐한다. 마귀가 틈타기 쉬운 때가 분노의 순간이다. 분노에 마귀의 참소가 섞이면 가까운 사이도 금이 간다. 관계가 회복되어도 자책감과 열등감으로 인해 스스로 비참한 감정에 휘말리기 쉽다. 분노에 약한 사람이 실수를 거듭할 때마다 자괴감으로 더 깊은 수렁에 빠지고, 사멸되었던 죄책감까지 스멀스멀 살아나는 느낌을 받는다. 한시도 방심하지 말고 틈새를 찾아 막아야 한다. 빈틈이 없는지 부지런히 살피며 깨어 있어야 한다.

상대의 강점보다 약점이, 장점보다 단점이 잘 보이는 사람의 영은 곤고하다. 상대의 어두운 부분에 밝은 사람은 자신의 어두운 부분을 밝히 보기가 어렵다. 그런 사람은 영적 전투에서 마귀에게 시달릴 확률이 더 높다. 형제를 비방하지 마라! 뭔가 보이거든 험담의 입술을 사용하기 전에 기도의 입술을 움직여라! 비방하는 자를 가까이 두지 마라! 그런 사람은 백해무익하다.

사탄의 치밀한 4가지 무기

사탄은 인간의 약점과 환경을 최대한 악용하여 괴롭힌다. 소망의 기운을 다 뽑아서 절망에 빠트린다. 생명의 에너지를 빠져나가게 하는 사탄은 마치 피를 빨아먹는 거머리 같다. 사탄의 하수인들의 열심 또한 대단하다. 그들은 잠시도 쉬지 않고 영혼 사냥에 몰입한다. 사탄의 졸개들은 악령 또는 타락한 천사들이다. 그들은 매일 성도들 곁에서 속삭이며 삶의 매 순간마다 시험한다. 잠시 한눈을 팔거나 1cm의 여유만 주어도 사람의 영혼을 빛이 약한 곳으로 1km나 끌고 간다. 분별의 영과 지혜의 영이 필요하다.

사탄은 영적 전략만을 구사하지 않는다. 그는 인간의 모든 사상과 이념에 통달했다. 그는 위대한 철학자로 불릴 만큼 지혜롭고 다재다능하다. 그가 사용하는 재료들을 보면 놀라운 정도로 정교하고 다채롭다. 뒤틀린 이념, 조작과 위장, 반쪽 진리와 1%의 거짓, 성과 물질의 탐닉, 승리와 권력, 공포심과 수치심, 복수심과 진노, 마약, 알코올, 도박 같은 나쁜 습관 그리고 낮은 자존감 등을 사용한다. 이것들은 악령이 사람들의 영혼을 지옥으로 끌고 가기 위해 꼭 필요한 영적 훈련 과목들이다.

사탄의 무기 ❶ – 캐내기 힘든 뿌리, 미움

미움은 우리의 존재 깊숙이 뿌리박혀 있어 캐내기가 쉽지 않다. 사탄은 미움의 날카로움으로 사람의 영혼을 죽인다. 말씀이 성령의 예리한 검이라면 미움은 악령의 예리한 검이다. 칼끝에 맹독이 묻어 있고 살상력이 매우 높다.

사탄이 에덴동산에서 꾸민 인간파멸 계획은 하나님이 친히 지어 입히신 가죽옷으로 인해 반쪽 승리에 그쳤다. 그가 다음으로 꾸민 술수는 미움이었다. 사람의 마음에 반역 의지를 심은 사탄은 다시 미움의 독초를 심었다.

인류의 첫 부부 사이를 비집고 들어왔던 사탄이 이번에는 인류의 첫 형제 사이에 끼어들었다. 하나님께 드린 제사 문제를 이용하여 가인의 마음에 미움이 싹트게 한 것이다. 결국 가인은 아벨을 죽임으로 살인의 시조가 되었다. 가인은 바른 예배 배우기를 거절하고 예배의 실패자로 남았다. 예배의 성공자였던 동생에 대한 증오를 이기지 못해 사탄의 하수인으로 전락하고 말았다. 이로 인해 미움은 영적 살해와 동일시되었다. 가인은 하나님께 속한 자로 태어나 악한 자에게 속하여 역시 하나님께 속한 자였던 아벨을 죽였다. 그는 살인자로 불릴 뿐 아니라 마귀의 아비로까지 불렸다.

사도 요한은 서신서에서 사랑 문제를 심도 있게 다루면서 사랑을 미움의 대척점에 두었다. 사랑과 미움은 서로를 밀어낸다. 사랑이 하나님의 으뜸가는 속성이라면 미움은 사탄의 전형적인 특성이다. 형제에 대한 사랑과 미움의 태도는 그 사람의 영적 소속을 판가름 나게 한다. 애증 관계는 한 사람이 하나님께 속했는지 사탄에게 속했는지를 분간하는 잣대가 된다.

가인이 그 대표적인 인물이다. 형제와 이웃에게 적대적이었던 가인은 스스로를 사랑 공동체에서 격리시켜 성안에 거하게 만들었다. 그가 세운 최초의 도성, 에녹은 하나님께 인가받지 못한 도피성이었다. 증오의 화신인 사탄과 동행했던 가인이 세운 성 이름이 하나님과 300년간 동행했던 에녹과 같은 것은 아이러니다. 반면 소아시아 서부지방 중요한 교통의 요지에 위치한 빌라델비아(Philadelphia)는 사랑의 대명사다.

빌라델비아는 주전 138년경 앗탈루스 2세가 도시를 건설하여 왕의 형인 유메네스에 대한 형제 사랑의 표시로 이름을 빌라델비아('형제 사랑'이라는 뜻)라고 불렀다. 역사적으로도 터키 군대와 회교 세력이 소아시아 지역에 홍수처럼 밀어닥쳤을 때, 다른 도시들은 이내 굴복했으나 빌라델비아만은 14세기 말까지 꿋꿋이 남아 있었다.

원리는 분명하다. 우리가 형제를 미워하면 영적으로 에녹 성에 거하지만, 형제를 사랑하면 빌라델비아 성에 거한다. 그리스도인이 미움에 거하면 형제를 죽이는 자의 성인 에녹에 거하지만, 서로 사랑하면 형제 사랑의 성인 빌라델비아에 거한다. 내가 미움의 종이 되면 내 마음은 에녹이 건설한 증오의 성채가 되지만, 사랑의 도구가 되면 안전한 산성이 된다.

얼마나 숱한 영혼이 형제들의 미움으로 아파하고 괴로워하며 죽음에 내버려지는가! 은혜의 광채를 내뿜던 성도의 얼굴도 형제를 미워하는 순간 흉측한 마귀의 모습으로 변해 버린다. 아무도 예외가 없다. 이런 영적 현상을 잠깐이라도 볼 수 있다면 우리는 사탄의 가공할 무기를 한사코 쥐려 하지 않을 것이다.

사탄의 무기 ❷ – 헤아릴 수 없는 안개, 속임

속임은 우리의 변별력을 죽이고 전진을 가로막는 짙은 안개와 같다. 속임이란 사실이 아닌 것을 믿게 만들어 오류에 빠트리는 것이다. 사탄이 우리 마음에 세우려고 하는 요새는 거짓으로 세워진다. 거짓이 마음에 싹트기 시작하면 터가 마련된다. 거짓에 자주 속다 보면 마음의 요새는 더욱 견고해진다. 속임은 요새를 세우는 벽돌과 같다. 많이 속을수록 요새의 벽은 높아진다. 하와를 속인 것이 그 전형적인 예다.

사탄의 속이는 혀는 감미로워서 사람의 영혼을 혼미하게 만든다. 우리는 자주 속는다. 그의 거짓 웃음에 속고 윽박지름에 속는다. 외모에 속고 포장에 속고 진지함에 속는다. 사도 요한은 아무도 우리를 미혹하지 못하게 하라고 했다. 이 말은 마귀가 누구든 미혹의 도구로 사용할 수 있다는 말이다. 사람이 남에게만 속는 것은 아니다. 때로는 거짓의 영에 눌려 스스로 속기도 한다. 가장 나쁜 것은 하나님까지 속이려 드는 것이다. 아나니아와 삽비라의 사건은 거짓의 영에 사로잡혀 쉬 벗어나지 못하면 부지불식간에 성령까지 속일 수 있음을 보여 준다.

거짓은 진리의 허리띠(방어)와 성령의 검(공격)으로 다루어야 한다. 거짓이 다가올 때는 진리의 허리띠로 허리를 단단히 조여야 한다. 이미 마음에 성채(성과 요새)가 쌓였다면 칼로 깨트려야 한다. 속지 않으려면 잘 속아 넘어가는 옛 사람의 껍질을 벗고 새사람으로 거듭나야 한다. 길은 하나밖에 없다. 말씀으로 씻어 마음을 새롭게 함으로 변화를 받는 것이다.

마귀는 간교한 술책으로 마치 자신이 존재하지 않는 것처럼 사람들을 속여 세상에 만연한 악의 책임을 하나님께 떠넘기려 한다. 사탄은 사람을 속이는 것을 전혀 부끄러워하지 않는다. 속임은 사탄의 덕목이다. 많이 속이고 크게 속일수록 사탄의 얼굴은 광채로 빛난다. 마귀가 누구인가? 거짓말쟁이요 거짓의 아비가 아니던가? 그는 지상 최대의 사기꾼이다. 사람이 참말에 속는 법은 없다. 언제나 헛된 말에 속는다. 거짓말에 속으면 속이는 자에게 임할 진노도 함께 받는다.

> 누구든지 헛된 말로 너희를 속이지 못하게 하라 이로 말미암아 하나님의 진노가 불순종의 아들들에게 임하나니 그러므로 그들과 함께하는 자가 되지 말라(엡 5:6-7)

우리는 속는 사람을 어리석다고 비웃는다. 사실 어리석기 때문에 속는다. 진리의 사람은 속지 않는다. 거짓을 간파하기 때문이다. 대개의 거짓은 말에서 오는 것이기에 말씀의 능력으로 무장하여 사기의 대왕을 대적해야 한다. 어린아이들은 잘 속는다. 어리석지는 않지만 아직 분별력이 없기 때문이다. 영적으로 어린아이 상태에 머무르면 마귀의 유혹에 빠져 파도에 떠밀리는 난파선처럼 요동치기 쉽다. 속지 않으려면 영적으로 성숙함을 이루어야 한다. 영력은 곧 영적 분별력이다.

사탄의 무기 ❸ – 끄기 벅찬 불길, 시험

시험은 끊임없이 타오르는 불길 같아서 끄기가 어렵다. 인간이 경험하는 모든 삶의 영역에서 시험의 불길이 치솟는다. 시험은 속임의 뒤를 따른다. 사탄의 꼬드김에 솔깃해진 하와가 나무를 보았을 때 열매는 탐스럽게 보였다. 하와는 사탄의 유혹에 빠져 시험에 들었다. 어떤 형태로든 죄로 유인될 때 시험에 빠진다. 마귀가 주님을 시험할 때 성전 꼭대기에서 뛰어내리라고 했다. 천사가 지켜 줄 것이니 해가 될 것도 없지 않느냐는 유혹이었다. 성적 유혹도 그렇게 임한다. 사랑하는 사이에 사랑을 나눈다 해도 아무 해도 없고 즐거울 것이라며 유혹한다. 부정직한 거래도 눈 한번 딱 감으면 모두에게 득이 되니 상관없지 않느냐는 식이다.

떳떳하지 않은 것은 모두 악한 시험이다. 말씀으로 물리쳐야 한다. 그러려면 말씀을 마음에 담아 두어야 한다. 사탄이 오는 길을 열어 주지 마라! 가시로 막고 담장을 높이 세워서라도 시험을 저지시켜야 한다. 화려한 꽃일수록 독성이 강하다. 사탄은 미끼를 던지지만 그 뒤에 낚싯바늘이 숨겨져 있다. 말씀은 미끼 뒤의 바늘을 보게 한다. 요셉은 보디발의 아내가 던진 미끼를 물지 않았다. 그것은 주인 보디발과의 문제가 아니었다. 하나님과의 문제였다. 시험에 처할 때 우리가 붙들 말씀의 원리가 있다.

> 사람이 감당할 시험밖에는 너희가 당한 것이 없나니 오직 하나님은 미쁘사 너희가 감당하지 못할 시험당함을 허락하지 아니하시고 시험당할 즈음에 또한 피할 길을 내사 너희로 능히 감당하게 하시느니라(고전 10:13)

마귀는 대적해야 한다. 그러면 물러간다. 그러나 생각처럼 그렇게 쉽지 않다. 그래서 하나님을 가까이 해야 한다. 야고보는 마귀를 대적하는 것과 하나님과의 친밀을 함께 묶었다. 하나님을 가까이 하는 만큼 하나님의 사랑을 느끼고 마귀의 권세는 약화된다. 주님은 제자들에게 시험에 들지 않도록 깨어 기도할 것을 권고하셨다. 제자들은 주님의 권고를 귀담아 듣지 않았다가 주님을 배신하고 부인하고 버려둔 채 도망가는 연약함을 보였다.

사탄의 무기 ❹ – 참기 어려운 가시, 정죄

정죄는 아픔을 주는 가시와 같다. 정죄가 있을 때마다 정죄하는 영혼에 독한 가시가 돋아나고 정죄당하는 영혼에게 깊은 상처와 아픔을 남긴다. 사탄은 참소자 곧 비난자다. 과거에 저지른 범죄를 생각나게 하고, 그 죄책감으로 스스로 정죄하게 만든다. 이것은 마귀의 불화살이다. 정죄는 십자가에서 이뤄진 용서로 담대히 물리쳐야 한다. 마귀가 아픈 기억을 사용하면 사함 받은 사실을 들어 막는다. 불화살을 막는 것은 믿음의 방패다. 과거의 허물은 묵상의 대상이 아니다. 이미 지나갔기 때문이다. 하나님이 잊으셨는데 기억하는 것은 미련한 짓이다. 성령은 오직 우리에게 임한 말씀만 기억나게 하신다. 죄와 실수를 기억나게 하는 것은 마귀의 짓이다.

진리의 허리띠(믿음으로 말미암아 십자가의 구속으로 용서받았다는 진리)를 띠고 의의 호심경(나의 의가 아니라 그리스도 안에 있는 하나님의 의)을 붙이고 굳게 서야 한다. 우리의 의는 누더기 같지만 우리에게는 하나님의 의가 임했다. 마귀가 정죄할 때마다 이 사실을 담대히 선포해야 한다. 지나간 모든 죄들은 이미 씻음 받았고, 하나님께 잊혔고, 우리는 하나님의 의를 지니고 있음을 외쳐야 한다.

정죄(condemnation)에는 확신(conviction)으로 대응하는 것이 상책이다. 정죄란 사탄에게서 나온 것으로 우리를 찢는 날카로운 무기다. 정죄는 계속해서 우리가 저지른 잘못과 실수, 허물과 죄를 지적한다, 정죄는 해결책을 감추면서 우리가 지닌 문제만 부각시킨다. 그러나 사죄의 확신은 해결책을 보고 문제를 덮는다. 주님은 세상을 정죄하기 위해 오지 않으셨다. 용서를 통해 구원하려고 오셨다. 누구든지 그리스도 예수 안에 있으면 정죄함이 없다.

사탄은 쉬지 않고 정죄한다. 확신이 정죄를 무력화시킨다. 정죄를 이기는 확신이란 무엇인가? 확고한 신뢰다. 이 신뢰는 경건한 슬픔의 언덕을 지나야 얻을 수 있다. 경건한 슬픔이 우리를 회개로 이끈다. 회개가 확신을 얻게 한다. 회개를 통한 사죄의 확신이 구원의 확신을 보장한다. 정죄는 우리의 실수를 들춰내고 우리의 악행을 고발하지만, 확신은 용서와 구원의 주님을 밝혀 준다. 하나님은 우리의 죄를 실제로 용서하실 뿐 아니라 그렇게 해 주기를 간절히 갈망하신다. 그것은 우리를 용납하고 길이 참으시는 중에 나타나는 하나님의 인자하심이다.

사탄은 결국 불못에 던져진다

사탄은 자신의 때를 하나님께로부터 보장받았다. 자신의 때가 단축

될수록 마귀는 발악적으로 군다. 그는 자신의 때와 운명을 안다. 그는 일시적으로 준동(蠢動)해서 세상을 뒤흔들지만 세상은 그의 뜻대로 무너지지 않는다. 세상은 하나님의 때에 하나님의 방식대로 파멸의 길을 걷는다. 그때까지는 안전하다.

사탄의 운명은 비극적이다. 그의 유혹으로 사망 선고를 받았던 인간의 영혼에게는 구원의 기회가 주어지지만, 천상의 존재였던 타락한 천사들이나 사탄에게는 에서처럼 회개할 기회가 주어지지 않는다. 그래서 영원한 멸망으로 들어간다. 가장 높은 곳을 지향했던 그의 운명은 가장 낮은 곳으로의 떨어짐이다. 영광의 셋째 하늘에서 공중으로, 공중에서 지상으로, 지상에서 무저갱으로, 무저갱에서 영원한 불못으로 급전직하의 하강 곡선을 긋는다.

주님이 재림하심으로 사탄은 결박당한 채 천 년 동안 깊이를 알 수 없는 구덩이인 무저갱에 갇힌다. 사탄에게서 지상의 통치권을 회수하신 주님이 의로 다스리시는 천년 왕국이 비로소 시작된다. 이 기간에는 그 나라를 상속받기에 합당한 의인들의 무리와 불신자들이 더불어 살게 된다. 주님이 직접 다스리시는 성령 정권 아래서 인간은 외부의 유혹 없이 믿음으로 의의 길을 걷거나 자신의 본성에 따라 계속 불신 상태에 머무를 것이다. 사탄이 보낼 금고(禁錮)의 세월은 성도들에게는 영광의 통치 기간이다.

순교자들을 비롯한 의의 백성들은 첫째 부활을 통해 천 년 동안 주님과 더불어 왕 노릇을 한다. 예수의 증거와 하나님의 말씀으로 인해 목 베임 당한 자의 영혼들이 첫째 부활에 참여한다. 짐승과 우상에게 경배하지 아니하고 이마와 손에 표를 받지도 아니한 자들이 첫째 부활에 참여한다. 보좌에 앉은 자들과 짐승의 표를 받지 않은 자들도 모두 순교자다. 목 베임을 당한 자들도 죽음의 형태만 구별될 뿐 역시 거룩한 순교자다.

천 년이 차면 사탄은 잠시 풀려날 것이다. 그의 풀려남은 좋은 소식이면서 동시에 나쁜 소식이기도 하다. 영원한 불못으로 가기 위해 풀려난 것이기에 좋은 소식이다. 반면에 세상을 다시 한번 반역의 소용돌이 속으로 휘몰아 넣을 것이기에 나쁜 소식이다. 사탄은 땅의 백성들을 미혹하여 전쟁을 도모하지만 그의 군대는 패망하고 그는 불못에 던져진다. 하나님을 대적한 악의 삼총사인 용과 짐승과 거짓 선지자는 꺼지지 않는 불못에서 세세무궁토록 고통을 당할 것이다.

2장

백전백승하게 하는 3가지 강력한 무기

그의 입에서 예리한 검이 나오니 그것으로
만국을 치겠고 친히 그들을 철장으로
다스리며 또 친히 하나님 곧 전능하신
이의 맹렬한 진노의 포도주 틀을 밟겠고
계 19:15

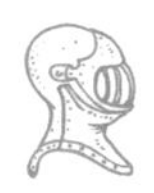

"나는 누구인가?"라는 질문은 철학적인 질문이면서 가장 영적인 질문이다. 또한 인간에 대한 가장 근원적인 질문이다. 이 질문에 대답하지 않고서는 "나는 왜 사는가?" "나는 어떻게 살 것인가?"에 답할 수 없다.

자신을 올바로 알려면 나를 지으신 하나님을 알아야 한다. 하나님을 알지 못한 상태에서 자신에 대해 아는 것은 얼마든지 왜곡될 수 있다. 자신을 모르면 마귀가 주는 거짓 이미지에 당할 수 있다. 내가 알고 있는 자신이 아니라 하나님이 이해하시는 내 모습이 진정한 나의 자화상이다. 타인이 알고 있는 나도 진정한 나의 모습은 아니다. 나를 지으신 창조주 하나님만이 나를 아신다. 힘써 여호와를 아는 것은 자기를 알려고 하는 그리스도인의 우선 과제다.

하나님을 알아야 자신을 알 수 있다. 하나님은 자신을 잘 아시는 분이다. "나는 나"라고 말씀하신 분이 여호와 하나님이다. 나를 알려면 자기 정체성의 원조이신 하나님을 통해 알아야 한다. 그것이 가장 안전하고 확실하다. 하나님밖에는 자기를 온전히 알 수 있는 길이 없다.

히틀러 암살모의 혐의로 체포되어 수감되었던 본회퍼는 1944년 6월의 어느 날 감옥에서 〈나는 누구인가〉라는 시를 썼다. 사람들의 평가와 자의식 사이의 괴리로 고민하다가 그는 "내가 누구인지 당신은 아시오니 나는 당신의 것입니다. 오, 하나님!"이란 고백으로 끝맺었다.

하나님을 알아야 자신을 알 수 있다

우리는 그리스도인이다. 세상 사람들이 이해하는 사전적 정의에서는 그리스도인을 "예수 그리스도의 인격과 교훈을 중심으로 하는 종교를 믿는 자"라 말한다. 성경에는 그리스도인이라는 말이 단 세 번 나온다. 그리스도인이란 그리스도 예수를 믿음으로 흑암에서 빛으로 옮겨진 사람들이다. 어둠의 일을 벗고 빛으로 무장한 전사들이다.

안디옥에서 주님을 믿는 성도들이 이방인들로부터 그리스도인이라 불린 이후로 이것은 가장 영예로운 칭호가 되었다. 안디옥의 신자들은 자신들의 삶을 통해 호의적이지 않던 이웃들로부터 긍정적인 자기 정체성을 부여받았다. "그리스도에게 속한 자" 또는 "그리스도를 닮은 자"인 그리스도인은 우리의 자랑할 만한 정체성이다.

그리스도인은 그리스도의 성품을 닮아 그분이 보여 주신 삶의 모범을 실천하려고 애쓴다. 자신이 믿는 진리를 삶으로 보여 주는 사람이 그리스도인이다. 주님을 믿고 구원받은 성도라 할지라도 삶의 모든 영역에서 주님과 함께하지 않으면 주님을 반대하는 자다. 건성으로 주님을 따르면 영적 전쟁에서 그 부끄러운 실체가 이내 드러난다. 그리스도인에게는 원수 마귀의 모든 능력을 제어할 권세가 주어졌다. 그리스도인의 바른 정체성에 서기만 해도 승전가를 높이 부를 수 있다.

그리스도는 하나님의 아들이시다. 하나님의 아들이신 주님은 신적 권위를 지니고 "나는 나"라고 말씀하셨다. "나는 생명의 떡이다(요 6:35, 48)." "나는 세상의 빛이다(요 8:12; 9:5)." "나는 양의 문이다(요 10:7, 9)." "나는 선한 목자다(요 10:11, 14)." "나는 부활이요 생명이다(요 11:25)." "나는 길이요 진리요 생명이다(요 14:6)." "나는 참포도나무다(요 15:1, 5)." "나는 왕이다(요 18:37)."

그리스도 안에서 그리스도인은 왕적 선언의 자기 정체성을 갖는다. 그리스도인은 그 이름이 뜻하듯 그리스도에게 속한 자이기 때문이다. 주님은 제자들에게 세상에 대한 사명자로서의 정체성을 말씀하셨다. 우리는 세상의 빛과 소금이다. 그리스도인이 은혜 안에서 지닌 자기 정체성과 사명 안에서 지닌 자기 정체성에 충실하다면 주님의 용사 됨에 아무 부족함이 없다. 용사로서 갖출 무기만 확보되면 능히 원수 마귀와의 접전에서 필승을 다질 수 있다. 그리스도인은 선봉을 다투는 영적 전사다.

강한 용사의 강력한 3가지 무기

용사는 맨주먹으로도 적과 마주칠 수 있지만 항상 맨주먹으로 싸움에 임하지는 않는다. 용사는 자신의 무기를 잘 알고 있고 무기 선정에 있어 매우 신중하다. 맹렬한 싸움일수록 용사의 무기는 특별하고 강력하다. 대적이 필살의 무기를 휘두른다면 용사 역시 그에 걸맞은 탁월한 무기를 지닌다. 용맹무쌍함은 용사의 더할 수 없는 덕목이지만 필승의 정신 못지않게 중요한 것이 강력한 무기이다.

군사에게는 군사의 무기가, 용사에게는 용사의 무기가 있다. 강적 마귀와의 영적 싸움에서 우위를 점하려면 그리스도의 강한 용사는 최강의 무기를 반드시 준비해야 한다. 성경이 예시하는 많은 무기들 중에서도 가장 강력한 무기를 꼽으라면 기도, 말씀, 그리고 예수의 이름이다. 기독교의 역사는 이 비장의 무기들이 마귀와의 싸움에서 얼마나 효과적이었는지를 명백히 증명하고 있다.

의인의 정결한 기도는 세상을 뒤엎고 지옥의 문지방을 흔들리게 했다. 능력의 말씀은 마귀의 온갖 궤계를 부수고 하나님의 뜻을 견고히 세웠다. 그리고 예수의 존귀하신 이름 앞에 마귀는 언제나 고꾸라졌다.

강한 용사의 무기 ❶ – 예리한 낫, 중보기도

사탄을 대적하는 우리의 기도에는 능력이 요구된다. 능력이 나타나려면 기도의 분량이 반드시 채워져야 한다. 죄악이 가득 차야 심판이 임하듯 기도도 하늘 보좌에 닿아야 응답의 천둥 번개가 친다. 엘리야의 손바닥만 한 작은 구름은 일곱 번 무릎을 꿇은 후에 찾아온 기적이요 능력이었다. 하나님 앞에서 견고한 진을 파하는 싸움이기에 우리의 병기는 강력해야 한다. 숫돌로 갈아서 빛나는 검처럼 우리의 영혼이 기도로 반짝여야 한다.

기도하는 자가 불의하면 능력은 단번에 사라진다. 하나님에게는 불의가 없다. 기도는 하나님의 현존 안으로 들어가는 것이다. 교만은 깊은 바다에 묻히고 소망이 하늘 높이 들림 받는 시간이다. 욕심이 걸러진 우리의 기도는 주님을 통해 아바 아버지께 올라간다. 기도는 우리의 절실한 바를 겸손함과 전적인 의뢰 속에 구하는 것이다.

기도의 밀실에서 하나님과 가까워질수록 내면의 고요함을 느낀다. 그것은 나의 고요함이면서 하나님의 고요함이다. 하나님은 우레와 같은 음성이 아니라 가만히 속삭이는 음성으로 말씀하신다. 그 소리를 들으려면 우리의 마음 또한 고요해야 한다. 하나님이 우리의 기도에 귀 기울이시는 것이 아니라 우리가 하나님의 속삭임에 귀 기울인다. 이런 기도 속에서는 아무것도 감출 것 없이 그대로 나타난다. 나의 부족함도, 나의 필요도, 나의 연약함도 모두 여과 없이 드러난다. 기도는 근본적으로 하나님과의 친밀함을 이루는 것이다.

우리의 기도가 응답되는 것은 우리가 하나님을 만족시켜 드렸거나 감동시켜서가 아니다. 하나님을 영적 논리로 꺾었기 때문에 능력 있는 기도가 되는 것이 아니다. 하나님은 우리의 기도를 들으실 필요가 없다. 이미 우리 각자에게 있어야 할 것이 무엇인지 아시기 때문이다. 하나님은 언제나 자신의 인격을 따라 응답하신다. 자신의 목적과 계획에 따라 정확하게 응답하신다. 하나님이 언제나 들으시고 선한 의지로 응답하심이 우리에게는 참된 위로가 된다.

그렇다면 우리가 드리는 기도에 무슨 의미가 있는 것인가? 무엇을 기도해야 옳은가? 기도를 하지 않아도 그만이지 않은가? 우리는 하나님의 뜻을 구해야 한다. 자신이 하나님 뜻에 순응할 수 있게 해 달라고 기도해야 한다. 설사 우리의 소원이나 달음박질과는 상관없이 모든 것이 하나님의 긍휼에 달려 있다 해도 기도드려야 한다.

그래도 이스라엘 족속이 이같이 자기들에게 이루어 주기를 내게 구하여야 할지라(겔 36:37)

누구를 위해 기도할 것인가? 우리가 아는 사람들뿐 아니라 모르는 사람들을 위해서도 기도드려야 한다. 우리의 기도가 원하는 때에 응답되지 않을 때는 어떻게 해야 하는가? 계속 기도해야 하나? 아니면 중단해야 하나? 물론 기도의 줄을 계속 붙들어야 한다. 중요한 것은 우리가 바꿀 수 없는 일이 있음을 인정하고, 기도의 마지막 결과를 주님이 아심을 기억하는 일이다. 하나님은 우리 아버지이시고 그분은 우리에게 무엇이 최선인지 아신다. 사람이 기도로 하나님과 동역할 수 있음은 얼마나 귀한 은혜인가?

기도는 최고의 무기다

남을 위한 중보기도일수록 중단하지 말아야 한다. 중보기도는 영적 전쟁에서 그리스도인이 사용할 수 있는 훌륭한 무기다. 그렇다면 중보란 무엇이고, 성경에서 보여 주는 중보의 모델은 누구이며, 어떤 그리스도인이 중보자가 될 수 있는가?

바울은 디모데에게 기도에 관한 교훈을 하면서 우리의 중보이신 그리스도 예수에 대해 언급했다. 중보란 두 인격 사이에서 화해와 중재를 도모하는 일을 뜻한다. 사람은 죄를 지었기에 스스로 하나님께 나아갈 길이 없다. 하나님과의 관계 설정을 위해 중보란 반드시 필요한 과정이다. 중보 없이 하나님 앞에 나아갈 방도가 없기 때문이다.

중보는 처음부터 끝까지 기도에 관한 문제다. 중보는 기도의 최전선이다. 영적 전쟁의 현장이다. 중보기도에는 엄청난 능력이 있다. 중보자 그리스도가 영적 싸움의 맨 선두에 계시기 때문이다. 성령과의 친밀한 관계 속에서 깊고 오랜 영적 전쟁을 치르며 성장하는 자가 여호와의 용사로서의 중보자다. 그리스도인이 하는 일은 그리스도가 보이신 중보기도의 본을 따라 누군가를 위해 대신 아파하는 심정으로 기도하는 것이다. 자신이 아닌 누군가를 위해 간절히 기도하는 것이다.

기독교는 다름 아닌 기도교다. 기도하는 종교가 기독교다. 다른 종교에도 기도 행위는 있지만 그들의 기도는 우상 잡신에게 드리는 기도이기에 우리의 기도와는 다르다. 기도는 '빌' 기(祈)에 '빌' 도(禱)를 쓴다. 기도란 빌고 비는 것이다. 로마서 8장 26절에서 중보의 의미를 잘 밝히고 있다.

> 이와 같이 성령도 우리의 연약함을 도우시나니 우리는 마땅히 기도할 바를 알지 못하나 오직 성령이 말할 수 없는 탄식으로 우리를 위하여 친히 간구하시느니라(롬 8:26)

여기에서 "간구하시느니라"에 해당하는 단어 'intercede'가 바로 중보를 의미한다. 성령이 하나님과 우리 사이에서 우리를 대신하여 우리를 위해 하나님께 기도드린다는 뜻이다. 원래 이 말은 '사이로 들어감'

을 의미하는 라틴어 'intercedere'에서 나왔다. inter란 '~ 사이에서'란 뜻이고 cedere란 '나아가다' '맡기다' '옮기다'란 뜻이다.

중보기도란 하나님과 기도대상자 사이에서 하나님께로 나아가 대상자의 무거운 짐을 맡기거나 옮기는 것을 의미한다. 쉽게 말하면 어떤 사람이 하나님과 그 사람 사이에 들어가서 그 사람의 걱정과 소원을 대신하여 하나님께 아뢰는 것이다. 우리가 누군가를 위해 기도할 수 있고, 또 누군가 우리를 위해 기도할 수 있음은 우리에게 중보의 영이 있기 때문에 가능하다. 중보기도는 희망의 끈이다. 우리가 붙들었던 모든 끈이 끊어졌을 때도 우리를 동여매는 튼튼한 끈이 바로 중보기도다. 누군가 날 위해 기도하는 중보의 능력이 삼겹줄처럼 우리를 요동하지 않게 붙들어 준다.

내가 오늘도 은혜 안에서 지탱할 수 있는 근거는 중보기도다. 우리 중 그 누구도 스스로 선 사람은 없다. 개인이나 공동체, 나라나 민족 할 것 없이 흥하고 망하는 배후에는 중보기도가 있다. 중보기도가 없는 개인이나 나라는 오래가지 않는다. 누군가 나를 위해 기도하는 것은 사람이 지닐 수 있는 최고의 보화다. 만일 나를 위해 뜨겁게 기도하는 중보기도자가 있다면 나는 세상에서 가장 행복한 사람이다. 우리의 중보기도 또한 누군가를 붙들어 줄 수 있다.

우리를 위한 중보자가 없어도 성령 하나님과 성자 예수님이 든든한 중보자가 되어 주심을 늘 잊지 마라! 중보의 영은 긍휼의 영이다. 긍휼이 없으면 중보도 없다. 우리의 중보기도가 가능한 것은 오로지 주님의 긍휼을 힘입었기 때문이다. 주님께로부터 임한 긍휼의 마음이 없으면 중보기도는 속 빈 강정에 불과하다.

> 나의 하나님이여 귀를 기울여 들으시며 눈을 떠서 우리의 황폐한 상황과 주의 이름으로 일컫는 성을 보옵소서 우리가 주 앞에 간구하옵는 것은 우리의 공의를 의지하여 하는 것이 아니요 주의 큰 긍휼을 의지하여 함이니이다 주여 들으소서 주여 용서하소서 주여 귀를 기울이시고 행하소서 지체하지 마옵소서 나의 하나님이여 주 자신을 위하여 하시옵소서 이는 주의 성과 주의 백성이 주의 이름으로 일컫는 바 됨이니이다(단 9:18-19)

중보자는 하나님이 택하신다

오늘날 우리 주변에서는 중보란 말을 참 많이 쓰기도 하고 듣기도 한다. 중보란 참 보배롭고 귀한 용어다. 아름답고 거룩한 용어다. 중보에 담긴 깊은 뜻을 헤아리지 못하고 중보 사역에 임한다는 것은 있을 수 없는 일이다. 그런데 너도나도 중보기도자라고 주장한다. 중보는 훈련으로 되는 줄 알고 중보기도 학교를 운영하는 이들도 있다. 기도를, 그것도 중보기도를 누가 훈련시킨단 말인가? 일반 기도에는 훈련이 다소 필요할지 모른다. 그러나 중보기도는 훈련병이 아니라 기도의 용사를 위한 정밀 무기다. 중보자는 사람이 원하고 사람이 훈련해서 되는 것이 아니다. 하나님이 택하시고 세우신다. 중보기도는 그 내공이 깊다.

중보기도 콘퍼런스, 중보기도 훈련, 중보기도 학교 등 중보기도를 어떤 사역의 프로그램으로 이해하는 흐름이 현재의 추세다. 중보기도의 전문가처럼 행동하는 사람들도 있다. 아무런 영적 권위도 없이 특정 인물을 흉내 내지만 영적 싸움에서 승리를 기대하기란 어렵다. 중보자는 나타나지 않고 숨어서 사역한다. 중보자는 하나님의 비밀 병기다. 스스로 중보자임을 드러내는 것은 하나님의 비밀 병기가 아니라는 증거다. 특별한 임무를 수행하는 특수 요원들은 가능한 한 신분을 숨겨 가며 작전에 임한다. 그러므로 중보기도의 전문가를 자청하는 것은 오직 한 분뿐인 중보자 그리스도를 욕보이는 것이다.

중보기도의 주체는 하나님이시다. 성령 하나님과의 친밀함이 없으면 중보 사역은 불가능하다. 오늘날 많은 중보기도 사역자들이 남을 위해 혼신의 힘을 쏟아 가며 기도드리면서 정작 자신의 문제를 방치하는 것은 우려할 일이다.

중보의 영은 곧 성령이시다. 성령은 함부로 기도하지 않으신다. 목적 없는 기도는 아예 드리지 않으신다. 우리는 너무 쉽게 상대방을 위한 기도를 약속한다. 기도의 약속은 스스로 기도 사역에 매이는 일이다. 그만큼 영적 부담감과 책임감이 따른다. 자신을 위한 기도는 빠트려도 약속한 이를 위한 기도는 거를 수 없다. 하나님 앞에서 누군가를 위해 엎드리기로 약속하고 엎드려 기도하지 않으면 스스로를 속이는 일이다. 하나님의 성령을 우롱한 죄이기도 하다.

중보기도는 이처럼 중요하기에 이 사역을 잘 감당하는 자들에게 주어지는 영적 축복은 대단하다. 하나님이 붙들어 사용하시는 기도의 도구로 쓰임 받을 수 있다. 그의 기도에는 능력이 따르며 열매가 풍성하다. 철이 철을 날카롭게 하듯 이런 중보기도자들 곁에는 뜨거운 기도의 동지들이 하나둘씩 모여든다.

무엇보다 중보기도에 대한 성경적 이해를 새롭게 해야 한다. 한 사람의 중보기도자는 한 시대를 변화시키며 전 인류에 이르기까지 위대한 구속 사역의 운동을 일으킬 수 있다. 중보기도자야말로 타오르는 성령의 불길이기 때문이다.

성경에 나오는 중보자의 모델

누가 중보의 모델인가? 성경에는 중보자 그리스도를 중심으로 하여 중보의 본을 보여 주는 기도의 사람들이 있다. 그들도 우리처럼 실수와 연약함에 싸여 있었으나 그들 속에 거하시는 성령이 그들을 중보기도의 용사로 변모시켰다. 이는 우리도 중보기도의 용사가 될 수 있다는 희망을 준다.

모세는 중보기도의 가장 오래된 모범으로 우리 앞에 있다. 그는 자신에게 항거하고 수시로 괴롭히던 백성을 위해 중보의 무릎을 꿇었다. 그들 모두를 멸하고 모세로 큰 민족을 이루겠다는 하나님의 뜻을 전해 듣고 황급히 중보기도를 드렸다. 자신의 이름이 생명책에서 지워져 지옥 불에 떨어진다 해도 동족이 용서받을 수만 있다면 그렇게 해 달라고 간청했다. 이것은 누구나 함부로 드릴 수 있는 기도가 아니다. 모세의 마음을 사로잡은 것은 인간적인 동정심이나 종교의식이 아니었다. 그 무엇과도 견줄 수 없는 중보 정신이었다. 타인의 천국행을 위해서라면 자신이 대신 지옥에 던져져도 된다는 각오였다.

> 그러나 이제 그들의 죄를 사하시옵소서 그렇지 아니하시오면 원하건대 주께서 기록하신 책에서 내 이름을 지워 버려 주옵소서(출 32:32)

이스라엘의 마지막 사사요 첫 예언자로 섬겼던 사무엘 역시 중보기도의 산 표본이었다. 그는 백성의 완악함을 잘 알고 있었다. 자신의 죽음 이후에 전개될 이스라엘의 어두운 역사를 꿰뚫고 있었다. 이스라엘의 병거와 마병 같았던 사무엘로서는 마지막 숨이 떨어지는 그 순간까지 중보의 제단을 쌓으려고 결심했을 것이다. 그는 자신의 삶과 사역이 얼마 남지 않음을 알고 백성들 앞에서 진정을 토로했다.

> 나는 너희를 위하여 기도하기를 쉬는 죄를 여호와 앞에 결단코 범하지 아니하고 선하고 의로운 길을 너희에게 가르칠 것인즉(삼상 12:23)

바울은 신약에서 중보기도의 가장 뚜렷한 모델이다. 그는 이방인의 사도로 부름 받았지만 동족의 구원 문제에 늘 깊은 관심을 두고 있었다. 이방인의 구원을 통한 유대인의 종말적 구원이라는 하나님의 신비를 다루면서 중보자의 자세를 명백히 보였다.

> 나의 형제 곧 골육의 친척을 위하여 내 자신이 저주를 받아 그리스도에게서 끊어질지라도 원하는 바로라(롬 9:3)

중보기도자의 마음은 언제나 영혼 사랑으로 불타오른다. 어떤 값비싼 희생을 치러서라도 비뚤어진 영혼을 바로 고치고 지옥의 자식을 천국의 후계자로 만들려고 애쓴다. 상한 영혼을 어루만지고, 방황하는 영혼을 바른길로 이끌며, 약한 자를 강하게 하고, 병든 자를 고치고, 잠든 자를 깨우며, 죽은 자를 살리는 생명 사역에 전념한다.

누가 중보자가 될 수 있는가? 성직자들만이 중보기도자가 되는 것은 아니다. 일반 성도도 중보자가 될 수 있다. 기도의 무릎을 꿇은 사람, 순종과 겸손의 영으로 무장한 사람이라면 누구든지 중보기도자가 될 수 있다. 세상은 중보기도자들을 부르고 있다.

영적 전투의 현장에서 가장 필요한 것이 여호와의 싸움에 능한 용사다. 용사는 싸움의 기술에서 일반 병사와 확연히 구분된다. 그들은 결코 죽음을 두려워하지 않는다. 쉽게 포기하거나 물러서지도 않는다. 승리를 좋아하는 심성이 그들 DNA에 각인되어 있다. 여호와의 용사는 자신들이 섬기는 이를 위해 희생하기를 즐거워한다. 위험한 싸움일수록 선봉에 서기를 그토록 원한다. 이들이야말로 하늘나라에서 별과 같이 빛나는 존재로서 지옥의 터를 단번에 흔들어 버린다.

남을 위해 섬기는 일 중에서 가장 돋보이는 것이 기도다. 잘 드러나지는 않지만 한 사람의 생애에 놀랄 만한 영향을 끼치는 것이 중보기도의 사역이다. 주님을 배신한 베드로를 위해 드린 주님의 중보기도가 그로 하여금 눈물의 회개를 거쳐 위대한 성령의 도구로 쓰임 받게 했다. 진득하지 못한 성품으로 바울의 불신을 샀던 마가였지만 바나바의 따스한 영적 보살핌으로 말년의 바울에게 가장 신뢰할 만한 동역자가 되었다.

강한 자만이 약한 자를 위해 중보기도를 드릴 수 있는 것이 아니다. 약한 자도 강한 자를 위해 얼마든지 중보기도를 드릴 수 있다. 바울은 성도를 위해 항상 기도했지만 성도에게 자신을 위해 기도해 주기를 부탁하곤 했다. 결국 기도란 우리 자신의 능력이 아니라 하나님의 능력을 힘입는 것이기 때문이다.

기도의 응답은 우리 자신의 공로나 애씀에 있지 않고 오로지 우리를 긍휼히 여기시는 하나님의 뜻에 달려 있다. 우리는 하나님의 마음을 움직이기 위해서가 아니라 하나님이 우리의 마음을 움직이시도록 기도해야 한다. 상대를 향한 진실하고 거룩한 사랑이 동기가 되어 기도할 때 하나님은 비로소 역사하신다.

예리한 낫(double-edged sickle)은 마지막 때의 영혼 추수를 위해 하나님이 예비하신 중보기도의 신무기다. 이 신무기로 중보기도자는 곡식을 거두고 포도를 수확한다. 중보기도의 사역은 이중적이다. 하나님의 백성에게는 구원의 추수지만 원수들에게는 심판의 수확이다.

강한 용사의 무기 ❷ – 예리한 검, 말씀의 암송과 묵상

성령의 검은 강하다. 죽이는 칼도 있지만 살리는 칼이 있다. 하나님의 말씀은 좌우에 날선 어떤 명검보다 예리하다. 말씀의 검이 베지 못할 것은 세상에 아무것도 없다. 우리 안에 있는 하나님의 말씀이 흉악한 자를 이기게 한다. 말씀의 검을 활용하려면 용사의 손에 달라붙은 칼처럼 말씀이 내게 충만해야 한다. 암송은 칼을 벼리는 작업이다. 하나님의 말씀을 자주 읽고 많이 암송하고 깊이 묵상하고 널리 적용해야 한다. 말씀은 듣는 자 속에서 역사하지 않고 믿는 자 속에서 역사한다.

> 들은 바 그 말씀이 그들에게 유익하지 못한 것은 듣는 자가 믿음과 결부시키지 아니함이라(히 4:2)

말씀을 듣되 믿음으로 들어야 그 말씀이 지닌 원래의 능력을 발휘한다. 대단한 역사를 일으킨다. 성경은 믿는 자 속에서 역사하는 말씀의 능력을 잘 보여 준다. 영적 검술의 달인은 묵상의 달인이다. 성령의 검을 자유자재로 쓰는 용사가 되려면 묵상의 기술을 반드시 익혀야 한다. 묵상은 어떤 것인가? 묵상은 되새김질과 같다.

양은 푸른 초장에서 풀을 뜯어 먹고 배가 부르면 풀밭에 눕는다. 이렇게 누워 하루 종일 되새김질을 한다. 양은 네 개의 위를 가졌다. 먹은 것을 첫 번째 위로 내려보냈다가 그것을 다시 입으로 뱉어 내서 씹고 두 번째 위로 보낸다. 그랬다가 다시 입으로 뱉어서 씹고 세 번째 위로 보낸다. 그리고 또다시 입으로 뱉어 내서 씹고 마지막 네 번째 위로 보낸다. 양은 하루 종일 되새김질을 하면서 천천히 소화시킨다. 먹은 풀을 씹고 다시 씹고 또 씹어 완전히 소화되어 살이 되고 피가 될 때까지 되풀이해서 씹는다. 이것이 바로 묵상이다.

묵상이란 되새김질이다. 하나님의 말씀을 그냥 꿀꺽 삼켜 버리듯이 단숨에 읽어 치우는 것이 아니다. 단 한두 구절에 불과할지라도 그 말씀을 하루 종일 되씹는다. 완전히 소화되어 우리 영혼에 피가 되고 살이 될 때까지, 그 말씀이 우리의 영혼 깊이 자리 잡을 때까지 씹고 또 씹는 되새김질을 계속하는 것이다.

되새김질하는 반추 동물은 소, 낙타, 양, 사슴, 물소 등 161종이나 된다. 반추 동물은 대개 위를 4개씩 갖고 있다. 첫째 위는 전체 위의 70~80%를 차지하며 음식을 저장, 혼합, 분쇄, 발효시키는 작용을 한다. 전체 위의 5~7%를 차지하는 둘째 위는 벌집 모양으로 되어 있기 때문에 벌집위라고도 부른다. 셋째 위는 전체 위의 2~7%를 차지하며 주로 수분을 흡수하고 약간 부수는 작용을 한다. 넷째 위는 소화액을 분비한다. 이 동물들은 처음에 음식물을 적당히 씹어 위로 보냈다가 그것을 다시 입으로 토한 후 다시 씹고 침에 섞어 삼키는데, 토함-되씹음-되섞음-되삼킴의 네 과정을 통틀어 반추라고 한다. 이 네 과정을 말씀 묵상과 연관시키면 이렇게 설명할 수 있다.

처음 단계는 토함(regurgitation)이다. 이는 암송했던 말씀을 떠올리는 것이다. 성경을 묵상하려면 반드시 성경 구절이 필요하다. 그날에 필요한 묵상 재료는 그날 선택한다. 성경 읽기와 성경 암송의 두 방법이 있는데 읽는 것보다는 암송이 유리하다. 암송한 많은 구절 중에서 필요한 말씀이 떠오르면 그 구절을 그날 되씹을 양식으로 삼아 일하는 틈틈이 혹은 쉬는 시간에 천천히 되뇐다.

둘째 단계는 되씹음(remastication)이다. 이는 떠오른 구절을 묵상하고 또 묵상하는 것이다. 떠오른 구절을 천천히 되뇌면서 호흡이나 심장에 맞추어 되씹는다. 단순히 되씹기만 하는 것이 아니라 믿음을 화합하여 생각의 틀에 아로새긴다. 이 되씹기는 말씀을 우리 자신에게 맞추는 것이 아니라 우리 자신을 말씀에 넘기는 것이다. 말씀을 추리하지 않고 다만 음미한다.

셋째 단계는 되새김(reinsalivation)이다. 이는 묵상을 거친 말씀이 마음에 깊이 저장되는 것이다. 말씀을 머리에 기억하는 것이 지성 활동과 관련되는 것에 비해 마음에 저장하는 것은 감정 작용과 연관된다. 암송한 말씀을 계속 묵상하는 중에 느끼는 깊은 감동이 마음에 저장된다. 이런 되새김의 과정을 거치면서 우리는 말씀의 깊이를 더해 간다. 이지적으로 기억한 말씀에 감정적인 경험의 맛이 더해지면서 영혼의 전율을 경험한다.

넷째 단계는 되삼킴(redeglutition)이다. 이는 깨달은 말씀이 땅에 스며드는 빗물처럼 영혼에 흡수되는 과정이다. 충분히 되새은 말씀을 영혼에 흡수시키면 기도로 소화된 말씀은 이내 영혼의 살과 피로 화한다. 말씀이 완전히 내 안에 녹아들면 말씀과 나 사이의 거리도 없어지고 말씀이 나요 내가 말씀인 그런 경지에 이른다. 더 이상 말씀과 나는 분리되지 않고 환경의 변화에 따라 나와 말씀이 아무런 충돌도 일으키지 않는다.

묵상해야 말씀이 살아 움직인다

설교를 많이 듣는 것도 좋고, 성경을 많이 읽고 쓰는 것도 좋지만 묵상이 없으면 소용없다. 성경 통독도 좋고 암송도 귀하지만 묵상이 없다면 아무 유익이 없다. 하나님의 말씀은 반드시 묵상을 통해서만 은혜와 능력이 나타난다. 동일한 말씀도 모든 사람에게 같이 역사하지 않는다. 같은 시간에 같은 설교를 들어도 느끼고 깨닫는 바가 다른 것은 우리가 처한 환경과 성경을 대하는 우리의 태도에 차이가 있기 때문이다.

하나님의 사람들은 하나같이 묵상의 달인이었다. 그들은 어렵게 말씀을 대하지 않았다. 단순하고 꾸준하게 말씀을 대했다. 엘리야는 묵상을 통해 하나님의 세미한 음성을 들었다. 우리가 묵상할 때 하나님이 성경 말씀 안에서 속삭이시는 음성을 들을 수 있다. 성경의 글자들은 움직이지 않지만 말씀은 살아 움직인다. 우리가 문자에 매이면 성령의 말씀을 놓쳐 버린다. 에스겔이 보았던 환상처럼 한순간 생기가 들어가면 골짜기의 마른 뼈들처럼 살아난다. 묵상할 때 성령이 말씀에 생기를 불어넣으시면 말씀이 살아 움직인다. 말씀이 살아서 성경 밖으로 걸어 나온다. 우리를 향해 달려온다.

성경 묵상은 우리의 신앙생활을 깊게 만든다. 수많은 경건 서적이 우리의 영성 향상에 도움을 주는 것은 사실이지만 그 책들이 묵상의 대상이 될 수는 없다. 하나님의 말씀만이 묵상의 대상이다. 묵상을 통해 우리는 '지금 여기'에서 우리 각자에게 다가오시는 산 말씀을 들을 수 있다.

묵상은 되씹는 것이다. 되씹으려면 먼저 음식을 먹어야 한다. 성경 말씀이 우리 안에 있어야 묵상이 가능하다. 성경을 암송해야 되새김질을 할 수 있다. 우리의 삶은 성경 안에 깊이 뿌리내려야 한다. 성경을 통해 하나님 안에 깊이 뿌리내릴 때 우리의 삶은 더욱더 풍요로워질 수 있다. 하나님 안에 뿌리내리는 성경 묵상은 우리를 놀라운 축복의 세계로 이끌어 준다.

원래 묵상이란 성경 본문을 작은 소리로 읽고 마음으로 그 구절의 의미를 배우는 것을 의미한다. 즉 성경 본문을 작은 소리로 끊임없이 반복하고 암송하는 것이다. 중세의 수도사들은 한순간도 성경 말씀이 그들을 떠나지 않도록 노력했다. 일할 때나 길을 걸을 때도 성경 구절을 중얼거리면서 묵상했다. 말씀을 듣거나 읽는 것은 음식을 먹는 것과 같고 말씀을 곰곰이 생각하는 것은 되새김질과 같다. 암송이란 성경을 두뇌에 기억하고 마음에 저장하고 생각에 아로새기고 영혼에 흡수시키는 것이다. 믿음의 소화액이 반추를 도와 우리가 암송한 말씀을 영혼의 피가 되고 살이 되게 만든다.

말씀 묵상이란 단순히 어떤 구절을 반복하는 것만이 아니라 반추를 통해 완전히 내 것으로 만드는 것이다. 성경은 묵상이 얼마나 중요한지를 거듭 강조하고 있다. 하나님은 모세의 후계자인 여호수아에게 첫 말씀을 주셨다. 그것은 군사 작전도, 백성을 다스리기 위한 통치술도 아니었다. 수많은 백성의 관리는 여호수아 한 사람의 관리 여부에 달려 있었다. 스스로를 말씀 안에서 통제하며 매일의 삶에서 말씀 우선의 삶을 사는지의 여부가 여리고 정복 작전의 성패를 가르는 분수령이었다.

> 이 율법책을 네 입에서 떠나지 말게 하며 주야로 그것을 묵상하여 그 안에 기록된 대로 다 지켜 행하라 그리하면 네 길이 평탄하게 될 것이며 네가 형통하리라(수 1:8)

하나님은 여호수아가 주야로 사역에 골몰하기보다는 하나님의 말씀을 묵상하기를 바라셨다. 밤이나 낮을 가리지 않고 24시간 말씀을 암송하고 묵상하여 그 말씀을 머리와 가슴에 각인하고, 마음과 영혼에 저장하고 흡수시켜야 한다. 말씀 묵상은 정한 시간이 있어야 하지만 사실은 전천후여야 한다. 심지어 잠을 자면서 꿈속에서까지 진행될 수 있어야 한다. 잠꼬대에 성경 말씀이 튀어나오고 꿈을 꿔도 말씀과 연관된 꿈을 꿀 수 있어야 한다. 다시 강조하면 묵상은 말씀을 다시 뱉고, 다시 씹고, 다시 섞고, 다시 삼키는 것이다.

묵상해야 말씀으로 승리한다

끝없이 반복되는 호흡처럼 기도 없이는 말씀 묵상이 불가능하다. 수도원 전통에 심장 기도가 있다. 이는 숨을 들이쉴 때 "주 예수 그리스도여," 숨을 내쉴 때 "나를 불쌍히 여기소서!"라고 호흡에 맞춰 기도하는 방법이다. 숨을 들이쉴 때 성령이 들어옴을 의식하고 숨을 내쉴 때 자신의 온갖 죄악을 내뿜는다고 여기는 것이다. 주님은 부활 후 제자들에게 나타나서 숨을 내쉬며 "성령을 받으라!"고 하셨다. 우리가 내쉰 숨을 주님이 들이키시고, 주님이 내쉰 숨을 우리가 들이켜야 한다. 우리의 죄를 고백으로 내쉴 때 주님은 들이키시고 사죄의 은총을 베푸신다. 그리고 주님이 내쉰 숨을 믿음으로 들이킬 때 성령을 받을 수 있다.

반추 동물은 이동 중이거나 맹수의 위험이 있을 때는 반추하지 않고 안전한 곳에서만 반추한다. 1회 반추하는 데 대개 30~50분 정도가 소요되고, 이런 반추를 하루에 6~8회 행하니 반추 시간만 약 6~9시간이 걸린다. 묵상은 어디서도 가능하지만 조용한 장소가 좋다. 웬만큼 훈련되지 않으면 시끄러운 곳에서는 묵상이 힘들다. 반추 동물이 안전한 곳을 찾아 반추하듯이 우리 역시 세상의 번잡한 일들과 사람들과의 부대낌에서 벗어나 묵상의 시간과 장소를 따로 가질 필요가 있다.

소나 양은 풀잎을 소화시키고자 반추 한 번에 30~50분, 하루 6~9시간을 할애하는데, 그에 비하면 우리의 묵상을 위한 시간은 참 보잘것없다. 어떤 면에서 말씀을 대하는 우리의 태도는 동물보다 한참 못하다는 생각을 지워 버릴 수가 없다. 우리는 분주한 세상사에 너무 바쁘고, 남들보다 뒤처지지 않으려고 애쓰느라 너무 지쳐 있다. 건강도 상하고 마음도 상해 아름다웠던 우리의 모습이 못난이로 변해 버렸다. 뒤돌아보지 않고 앞만 보며 달려왔던 우리의 삶을 이제는 한번쯤 되돌아볼 필요가 있다. 더 늦으면 벼랑 끝을 향해 돌진하던 돼지 떼처럼 인생의 추락을 피할 수 없다.

지난 삶을 되돌아본다고 해서 과거에 안주하거나 얽매이라는 말은 아니다. 점검 차원에서 조심스럽게 살피라는 것이다. 앞으로 남은 우리의 삶을 위해 잠시 멈추는 시간은 반드시 필요하다.

우리는 그동안 세상일들에 휩싸이느라 말씀을 사모하고 좋아하고 기뻐하긴 했지만 말씀에 합당한 자리를 제공해 드리지 못했다. 말씀을 내 삶의 원동력으로 삼지 않았다. 그래서 삶은 자주 고장 나는 엔진처럼 멈추곤 했다. 우리는 말씀을 우선으로 적용하지 않았다. 내 뜻과 내 방법을 앞세운 결과 번번이 실패와 아픔을 맛보았다. 필요할 때 찾을 뿐 필요 없을 때는 말씀을 거들떠보지도 않던 우리였다. 말씀이 주인 자리에 앉지 못하고 손님처럼 서먹해하거나 아예 종처럼 부림 당하는 꼴이었다. 우리는 말씀을 무시하고 학대하기까지 했다. 드러나게 말씀을 조롱하지는 않았지만 말씀을 홀대함으로 결국 말씀이 조롱당했다.

이제는 말씀에 집중하라! 말씀과 깊은 사랑을 나누라! 말씀이 주는 감동과 능력, 생명과 은혜를 힘입으며 살아갈 수 있을 것이다. 말씀을 가볍게 여기지 마라! 중히 여기며 귀히 여겨라! 말씀만이 우리 인생의 해법이요 신앙생활의 핵심이다. 원수 마귀를 꺾어 이길 수 있는 최고의 무기다.

예리한 검(double-edged sword)은 모든 시대를 아우르는 전천후 무기다. 살아 있고 운동력이 있어 영혼과 육신을 찌르고 쪼개어 생명에 이르게 한다. 말씀의 예리함은 믿음으로 말씀을 받아들이는 자의 마음에서 놀라운 역사를 일으킨다. 말씀의 검 앞에 사탄의 모든 술수는 힘을 잃는다. 미움을 뿌리째 뽑아 버리고 속임수의 막을 제거하며 시험의 불을 진화하고 정죄의 가시를 제거한다.

강한 용사의 무기 ❸ – 절세의 비밀 병기, 예수의 이름

예수 그리스도의 이름이 열쇠다. 예수의 이름은 권세와 능력이다. 은혜와 축복이고 기적과 영광이다. 미가엘은 강한 천사다. 그는 모세의 시체를 놓고 줄다리기를 하는 가운데 마귀를 향해 감히 정죄의 말을 쏟지 않았다. 자신의 권능을 의지하지 않았다. 그는 다만 주님의 이름을 빌어 마귀를 책망했다. 미가엘은 영계에서 하나님의 싸움을 최전선에서 싸우는 용사 중의 용사다. 불칼을 휘둘러 마귀를 혼쭐낼 수도 있었지만 그는 주님의 이름을 의지했다. 자신의 능력보다 강한 것이 주님의 이름임을 알았기 때문이다.

주님의 이름을 의지한다는 것은 단순히 입으로 선포하고 이름을 외치는 것 이상이다. 전적인 신뢰가 바탕이 되어야 한다. 주님은 제자들에게 더러운 귀신을 내쫓고 모든 질병을 고치는 권세를 주셨다. 그들이 무엇을 지니고 있었던가? 아무것도 없었다. 주님의 이름뿐이었다. 그 이름이 영적 전쟁에서 진가를 발휘했다. 주님의 이름에 권세가 있는 것은 그분은 죄가 없으시기 때문이다. 주님은 죄와 상관이 없으시다. 주님의 이름을 인용하는 자에게 죄가 있다면 예수 이름의 권세는 나타날 수 없다.

바울이 2년 동안 에베소에 머물면서 사역할 때 희한한 능력이 나타나자 마술사들도 바울이 전하는 예수의 이름을 빙자하여 악귀를 내쫓는 일을 시험 삼아 해 보았다. 그들 가운데 스게와의 일곱 아들이 있었다. 그들이 주님의 이름을 들먹였지만 아무 권능도 나타나지 않았다. 도리어 악한 귀신이 그들을 덮치자 상하고 벗은 몸으로 도망쳤다. 그들은 믿음으로 죄 씻음 받은 적이 없는 자들이었다. 불신으로 인해 그들 영혼이 죄에 오염되어 있었기에 예수 이름을 외쳤으나 아무런 역사도 일어나지 않았다. 더러운 영혼은 악한 귀신의 영을 능히 제압할 수 없기 때문이다. 악한 귀신은 주님도 알고 주님의 종인 바울도 알았을 뿐 아니라 스게와의 아들들이 아무것도 아님을 알았다.

예수 그리스도의 이름은 권세를 지녔다. 마귀의 모든 권능도 예수 이름의 권세 앞에서는 무용지물이다. 마귀에게 권세가 있다면 그것은 전적으로 그리스도의 이름에 복종할 수밖에 없는 제한적 권세다. 예수 이름의 권세는 무제한적인 권세로 능력이 무한하다.

원래 하나님은 인간에게 피조 세계를 정복하고 관리하며 다스릴 권세를 부여하셨다. 만물은 인간에게 복종하게 되어 있었다. 그런데 죄가 이 권세를 박탈시켰다. 만물은 인간의 죄로 인해 이제까지 인간과 더불어 고통 당하면서 구속의 날을 탄식하며 기다린다. 이 권세가 마귀에게 넘겨졌다. 마귀가 다스리는 세상은 이미 어둠의 권세로 가득하다. 주님의 시험 기사를 다루고 있는 누가복음에서 이 권세가 어디로 갔는지를 분명히 설명한다.

> 마귀가 또 예수를 이끌고 올라가서 순식간에 천하만국을 보이며 이르되 이 모든 권위와 그 영광을 내가 네게 주리라 이것은 내게 넘겨준 것이므로 내가 원하는 자에게 주노라 그러므로 네가 만일 내게 절하면 다 네 것이 되리라(눅 4:5-7)

세상에 속한 모든 권세와 영광은 마귀에게 넘겨졌다. 인간이 죄를 지음으로 하나님으로부터 부여받았던 권세와 영광을 잃었기 때문이다. 마귀는 세상의 권세와 영광이 자기 것임을 주님께 천명했다. 그래서 세상의 권세와 영광을 좇는 자는 마귀의 뒤를 따른다. 천하만국의 영광을 얻기 위해 마귀에게 머리를 조아린다. 지금도 많은 사람들이 하나님만 섬기기를 거절하고 세상 임금에게 무릎을 꿇는다. 눈앞의 권세와 영광을 부여잡기 위해서다.

잃어버린 권세가 회복된 시대

영원할 것 같던 마귀의 권세는 꺾였다. 주님이 마귀의 유혹을 거절하시던 그 순간에 마귀의 찬란했던 영광도 색이 바랬다. 주님의 십자가와 부활은 잃어버린 권세와 영광을 되찾는 획기적인 사건이었다. 사울 왕조가 끝나고 다윗 왕조가 열리듯 비로소 세상에는 사탄의 왕조가 끝나고 주님의 왕조가 시작되었다. 영적으로는 하나님의 세계경영 시스템이 완전히 복구되었다. 주님을 믿음으로 구원받은 새로운 계약 백성이 천국의 시민으로서 세상의 사방을 지킨다. 기도로 지키고 선교로 지키고 공의와 성실의 삶으로 지킨다.

메시아 왕국의 기초는 다져졌다. 마귀의 세상 통치의 레임덕은 여기저기서 드러난다. 가시적인 정권 교환은 천년 왕국 직전에 성사될 것이다. 마귀에게서 모든 전권을 회수하신 주님은 승천하시기 직전에 제자들에게 지상 명령을 전하시면서 입을 떼셨다.

하늘과 땅의 모든 권세를 내게 주셨으니(마 28:18)

얼마나 다행스러운 일인가? 우리는 잃어버린 권세가 회복된 시대를 살고 있다. 하나님의 자녀 된 권세란 이 회복된 권세를 누리는 것이다. 그리스도인은 이미 흑암의 권세에서 빛의 나라로 옮겨졌다(골 1:13). 예수의 이름을 믿음으로 하나님의 자녀가 되는 권세를 지녔기 때문이다(요 1:12). 예수의 이름으로 세워진 교회는 음부의 권세에 휘둘리거나 패하지 않는다. 예수의 이름은 하늘과 땅에 있는 모든 이름을 능가하고 오는 세상에서도 영원할 것이기 때문이다. 바울이 다메섹에서 주님을 만났을 때 주님은 그를 증인과 종으로 삼아 세상에 보내시는 이유를 명확히 설명하셨다.

> 이스라엘과 이방인들에게서 내가 너를 구원하여 그들에게 보내어 그 눈을 뜨게 하여 어둠에서 빛으로, 사탄의 권세에서 하나님께로 돌아오게 하고 죄 사함과 나를 믿어 거룩하게 된 무리 가운데서 기업을 얻게 하리라(행 26:17-18)

예수의 이름은 치유하는 능력이다. 베드로와 요한은 위대한 주님의 사도였다. 습관을 좇아 기도 시간에 성전에 올라가던 중에 사도들은 낯선 손님을 만났다. 아름다운 문(미문) 앞의 초라한 인간을 만나면서 초대 교회는 하나님의 영광을 접하게 되었다. 동전 한 닢을 구걸하던 사람과 베드로의 눈이 마주쳤다. 순간적으로 주님의 긍휼이 베드로의 마음을 불같이 맴돌았다. 걸인의 간절한 구함과 그를 향한 베드로의 뜨거운 긍휼이 만났다. 베드로가 외쳤다.

> 은과 금은 내게 없거니와 내게 있는 이것을 네게 주노니 나사렛 예수 그리스도의 이름으로 일어나 걸으라(행 3:6)

걸인이 원하는 것은 줄 수 없었지만 베드로는 그가 미처 상상하지 못했던 선물 꾸러미를 던졌다. 예수의 이름! 미문 앞의 앉은뱅이는 예수의 이름으로 일어섰다. 사도들이 하나님의 아들 예수의 이름을 믿은 결과였다. 예수의 이름에 권세가 있지만 그것을 능력으로 끌어내는 것은 믿음이다.

나사렛 예수라는 호칭은 원래 예수를 모욕할 목적으로 적대자들이 주목받지 못하던 출생지인 나사렛을 그 이름 앞에 붙여 조롱조로 사용했다. 그러나 하나님은 그 이름 나사렛 예수를 세상에서 가장 존귀하고 능력 있으며 영광스러운 이름으로 삼으셨다. 온갖 귀신도 예수의 이름에 굴복한다. 예수의 이름으로 뱀과 전갈을 밟으며 원수의 모든 능력을 제어한다. 이 능력은 오늘도 병든 자를 긍휼히 여기는 마음으로 주의 이름을 부르며 기도하는 곳에 역사한다.

예수의 이름은 능력이다

오늘 우리는 얼마의 은금을 소유했지만 예수의 이름은 잊어버렸다. 예수의 이름이 은금보다 귀하다고 고백하면서 은금보다 못하듯 사용한다. 입술에는 예수의 이름이 충만한데 삶의 능력으로 끌어당기지 못한다. 하늘의 능력을 땅에 연결시키는 믿음의 고리가 약해서 그렇다.

치유는 예수 이름을 높이는 곳에서 일어난다. 예수님은 지상 사역을 통해 치유를 3대 사역에 포함시키셨다. 사복음서의 3,774절 중에서 무려 13%에 해당하는 484절이 치유와 연관되어 있고 치유의 사례는 41건에 달한다. 주님은 영혼 구원의 과정에서 치유의 중요성을 아시고 이 사역에 힘쓰셨다. 나중에 제자들의 사역에서도 치유는 중요한 위치를 차지했다.

예수의 이름은 응답하는 능력이다. 우리는 모든 기도를 주님의 이름으로 끝맺는다. 권세자의 사인이 없으면 응답은 보장되지 않는다. 주님의 이름으로 기도할 수 있는 것은 땅에 거하는 성도의 놀라운 특권이다. 천사들은 기도하지 않는다. 그들은 다만 하나님의 명령을 수행할 뿐이다.

> 너희가 내 이름으로 무엇을 구하든지 내가 행하리니 이는 아버지로 하여금 아들로 말미암아 영광을 받으시게 하려 함이라(요 14:13)

주님은 제자들에게 이런 말씀을 하셨다.

> 지금까지는 너희가 내 이름으로 아무것도 구하지 아니하였으나 구하라 그리하면 받으리니 너희 기쁨이 충만하리라(요 16:24)

이것은 일종의 폭탄선언이다. "지금까지 너희는 기도하지 않았다. 아무것도 기도하지 않았다. 내 이름으로 구하지 않았다." 이것이 무슨 말인가? 제자들이 그때까지 기도하지 않았을까? 왜 그들이 기도하지 않았겠는가? 그들은 이미 주님으로부터 기도를 배웠다. 많이 기도했고 오래 기도했다. 그러나 실상 그들의 기도는 기도가 아니었다. 주님에게서 믿음을 배우고 기도를 배우면서도 제자들은 기도 생활에서 실패했다. 그들은 기도문을 낭독했지 기도하지 않았다.

주님은 제자들에게 그들의 과거 기도생활이 실패라고 선언하셨다. 그리고 이제부터라도 제대로 기도할 것을 명하신다. "구하라!" 그러면 그들의 미래에 풍성한 기도 생활이 펼쳐질 것이라고 약속하신다. "그리하면 받으리니 너희 기쁨이 충만하리라!" 마태복음에도 기도에 대한 중요한 말씀이 있다.

> 구하라 그리하면 너희에게 주실 것이요 찾으라 그리하면 찾아낼 것이요 문을 두드리라 그리하면 너희에게 열릴 것이니(마 7:7)

이 말씀은 우리가 기도하지 않으면 아무것도 안 주시겠다는 말씀이 아니다. 우리가 기도하지 않아도 하나님은 우리에게 필요한 것을 주신다. 부모는 자식이 구하지 않아도 그들을 키우면서 때때로 필요한 것을 공급한다. 하나님은 우리보다 훨씬 사랑이 풍성하신 분이다. 부모가 채워 주지 못하는 것까지 우리를 위해 허락하신다. "그러면 기도하지 않아도 되는가?"라는 질문이 생긴다. 그 분명한 대답이 바로 뒤에 나온다.

주님은 자식이 빵을 달라고 할 때 돌을 주며 생선을 달라고 할 때 뱀을 집어 주는 부모가 없음을 예로 드셨다. 악한 부모도 제 자식에게만은 좋은 것을 주려고 하는데 하나님 아버지께서 구하는 자에게 좋은 것으로 주지 않겠느냐고 반문하셨다. 이것이 이유다. 기도하지 않아도 하나님은 우리에게 필요한 것을 주신다. 그러나 기도하면 더 좋은 것을 주신다. 영어 성경에는 "좋은 선물"로 표현했다. 우리가 기도하면 위로부터 오는 온갖 좋은 선물을 은혜로 받을 수 있다.

> 온갖 좋은 은사와 온전한 선물이 다 위로부터 빛들의 아버지께로부터 내려오나니(약 1:17)

'좋은 것'의 정체

그러면 이 좋은 것 또는 좋은 선물이란 무엇일까? 성경이 우리에게 이 '좋은 것'의 정체를 알려 준다.

> 너희가 악할지라도 좋은 것을 자식에게 줄 줄 알거든 하물며 너희 하늘 아버지께서 구하는 자에게 성령을 주시지 않겠느냐 하시니라(눅 11:13)

좋은 것은 성령이시다.

> 너희가 회개하여 각각 예수 그리스도의 이름으로 세례를 받고 죄 사함을 받으라 그리하면 성령의 선물을 받으리니(행 2:38)

좋은 선물은 곧 성령이시다. 구하고 찾고 두드리면 얻고 찾고 문이 열린다는데, 우리는 아직 얻지 못해 안절부절못하고, 찾지 못해서 헤매고, 문이 열리지 않아 끙끙대고 있다. 여기서 구하고 찾고 두드리는 것은 한두 번 해 보고 그만두는 행위가 아니라, 지속해야 하는 행위다.

헬라어 동사인 '아이테오', '제테오', '크루오인'은 현재 시제다. 우리에게 계속해서 구하고 찾고 두드려야 할 것을 요구하고 있다. 우리가 주님 안에 머무는 것이 계속되어야 하듯, 기도에서도 열정과 간절함은 필수 사항이다. 많은 경우에 우리는 간절히 구하지 못한다. 건성으로 구하고 의심 반, 확신 반으로 구한다. 마지못해 찾고 얼렁뚱땅 찾는다. 장난삼아 두드리고 긴가민가 두드린다. 신세타령만 하지 간구하지 않는다. 이런 자세로는 응답을 기대할 수 없다.

요점은 분명하다. 우리가 하나님의 말씀을 지켜 행할 때 주님의 사랑 안에 거하게 된다. 그리고 우리 안에 거하는 말씀의 역사가 말씀 준행의 삶과 함께 우리에게 기도 응답의 세계를 열어 준다. 믿음으로 간절히 구하고, 전심으로 찾고, 쉼 없이 두드리면 우리의 모든 기도가 반드시 응답된다. 예수의 이름이 모든 기도 응답의 열쇠다.

예수의 이름은 표적과 기사의 능력이다. 박해의 풍파에 흔들리면서도 전진을 포기하지 않았던 사도들과 성도들은 하나님께 간절히 기도했다.

> 주여 이제도 그들의 위협함을 굽어보시옵고 또 종들로 하여금 담대히 하나님의 말씀을 전하게 하여 주시오며 손을 내밀어 병을 낫게 하시옵고 표적과 기사가 거룩한 종 예수의 이름으로 이루어지게 하옵소서 하더라
> (행 4:29-30)

그들은 번갈아 가며 박해와 기적, 시험과 표적을 눈으로 보고 귀로

들으며 하나님을 섬겼다. 때때로 표적과 기사는 흔들리기 쉬운 그들의 마음을 지탱시키는 버팀목 역할을 했다. 예수의 이름을 함부로 남용하는 것은 죄다. 그러나 동기와 목적이 선하다면 말이나 일이나 다 주 예수 그리스도의 이름으로 할 수 있다. 이는 그리스도인의 특권이다.

주님을 믿는 자가 주님보다 큰일을 할 것이라는 약속은 주님의 이름을 의지할 때만 가능한 약속이다. 주님을 떠나서 우리가 할 수 있는 것은 아무것도 없다. 아무리 많은 사람이 모여도 그것은 사람들의 모임에 불과하다. 세상의 모든 왕과 장군이 모여도 그것은 약간 특별난 사람들의 모임일 뿐이다. 그러나 두세 사람이라 할지라도 예수 그리스도의 이름으로 모이면 그 가운데 하나님이 함께 계심으로 신성한 모임이 된다.

예수의 이름은 사죄하는 능력이다. 모든 그리스도인은 오직 예수 그리스도의 이름으로 죄 사함을 얻는다. 정확히 말하면 예수의 이름이 죄 사함을 얻게 하는 회개로 이끈다. 사람이 어떻게 사람의 죄를 용서할 수 있는가? 하나님의 은혜를 힘입어 예수 그리스도의 이름으로 사할 수 있다. 주님의 이름이 곧 죄를 사하는 능력이다.

2007년 1월, 인도에서 약 7,000만 명의 순례자들이 갠지스 강으로 몰려들어 북새통을 이루었다. 6년에 한 번 열리는 힌두교 최대의 축제인 쿰부 멜라(kumbh mela)가 진행되면서 사람들이 앞다투어 강물에 뛰어들었기 때문이다. 각종 폐수와 오물로 더러워진 강물이지만 그들은 여기에 몸을 담그고 씻으면 죄업이 사라진다고 믿는다.

루터는 라테란 성당의 28계단으로 된 스칼라 산타(scala santa)를 무릎으로 기어오르면서 성 안나에게 사죄의 기도를 끊임없이 올렸다. 그것은 전통적으로 애용되던 사죄의 관습이었다. 계단을 다 올랐을 때 그의 마음에는 사죄의 확신 대신에 '그렇게 된 줄을 누가 알지?'라는 회의만 싹텄다. 이 회의가 그를 종교 개혁의 선봉에 서게 했으니 사람의 일을 누가 알 것인가!

오순절 성령강림 이후에 베드로가 한 첫 설교의 결론은 예수 그리스도의 이름으로 말미암은 죄 사함이었다. 예수의 이름을 힘입어 죄 사함을 얻음은 이미 선지자들도 증거한 것이다.

예수의 이름은 구원의 능력이다. 예수는 "자기 백성을 그들의 죄에서 구원할 자(마 1:21)"란 뜻이다. 예수는 구원자이시다. 하나님이 인간을 구원하기 위해 보내신 구원자이시다. 예수 그리스도 외에는 어떤 구원자도 없다. 그분만이 인간을 온전히 구원하실 수 있다.

하나님이 예수의 이름을 모든 정사와 권세와 능력과 주관하는 자와 이 세상뿐 아니라 오는 세상의 모든 이름 위에 뛰어나게 하셨다. 하늘과 땅과 땅 아래 있는 모든 무릎이 예수의 이름 앞에 무릎 꿇는다. 예수를 믿어야 구원받는다. 예수를 믿어야 영생을 얻는다. 예수를 믿어야 하나님의 자녀가 된다. 예수를 믿어야 성령을 받는다. 모든 것이 다 예수의 이름과 연관 있다.

> 다른 이로써는 구원을 받을 수 없나니 천하 사람 중에 구원을 받을 만한 다른 이름을 우리에게 주신 일이 없음이라(행 4:12)

이 구원은 단지 영혼만의 구원이 아니다. 영혼과 육신과 범사를 아우르는 전인적인 구원이다. 성경을 기록한 목적도 예수의 이름을 힘입어 생명을 얻게 하는 데 있다. 하나님의 아들의 이름을 믿는 이에게만 영원한 생명이 있다. 주의 이름을 부르는 자가 구원을 얻는다.

가이사랴에 파견 근무 중이던 로마의 백부장 고넬료가 예수의 이름을 믿고 구원을 받음으로 로마 제국에 구원의 서광이 비추게 되었다. 그 복음의 빛이 돌고 돌아 오늘 우리에게까지 임했다. 이제 우리는 우리를 구원하신 예수 이름의 권세와 능력을 안다.

예수 그리스도의 이름은 영적 싸움의 현장에서 그리스도인을 위한 최고의 무기다. 슬픈 현실은 보검 중의 보검이 많이 사용되지 않아 이미 녹이 슨 상태에 있다는 것이다. 예수 그리스도의 이름에 대한 고백과 지식은 있어서 칼집은 그럴듯해 보이지만 칼집에 꽂혀 있는 보검의 상태는 심각한 수준에 머물러 있다. 오늘날 그리스도인이 느끼는 무기력의 원인은 예수의 이름을 상실한 무기력(無氣力) 부재의 현실에 있다. 최고의 무기가 최악의 상태에 방치되어 없는 것같이 되어 버렸다.

교회는 녹이 슨 보검을 예리하게 가는 마광의 처소가 되어야 한다. 말씀과 기도로 갈고닦아 본래의 예리함을 보존해야 한다. 말씀의 통독과 암송, 깊은 묵상의 결과로 구체적인 삶에 능력 있게 적용될 때 말씀은 잃어버린 영광을 재현할 수 있다. 명목상의 이름만이 아니라 실질적인 이름의 권세와 능력, 은혜와 축복, 기적과 영광을 맛볼 것이다.

그리스도인은 역전의 용사다

그리스도인의 삶은 고난을 비껴갈 수 없다. 겨울의 차가운 해풍이 바이킹을 만들어 냈듯이 고난이 그리스도인을 탄생시켰다. 고난은 그리스도인의 운명이다. 누구나 고난을 달갑게 여기지 않지만 고난은 우리에게 많은 유익을 베푼다. 고난을 깊이 있게 다룬 베드로는 고난 속에서의 기쁨이라는 차원에서 야고보와 맥을 같이한다. 그들의 권면은 단순한 설교나 교리문답 차원이 아니다. 그것은 신앙의 영적 전투에서 상처를 입고 살아난 용사가 내뱉은 생존 수기다. 생생한 간증이다.

고난을 극복한 성도에게 고난이 할퀴고 간 상처는 영광의 훈장으로 남는다. 역전의 용사는 전쟁터에서 잔뼈가 굵듯 여호와의 용사는 영적 전투 곧 시련과 고난의 용광로 속에서 태어난다. 고난 때문에 신음과 비명에 묻혀 살지 말고 즐거운 탄성을 내라! 고난은 자기에게 머리 숙이는 자를 얕본다. 그러나 고난에 항거하며 인내로 버티는 자는 결단코 이기지 못한다.

그리스도인이 당하는 고난은 그냥 고난으로 끝나지 않는다. 반드시 모든 상황이 뒤바뀌는 역전이 있다. 고난은 영원하지 않다. 시작이 있듯 끝이 있다. 고난의 나무가 꽃을 피우기까지 그 과정은 매우 쓰리고 아프지만 고난의 열매는 달콤하다. 성도는 고난의 풀무불 속에서 연단을 받고 그 연단을 통해 비로소 정금처럼 빛나는 하나님의 아들딸이 된다. 주님도 세상에서 갖은 고난을 겪으셨지만 결국 세상을 이기셨다. 종의 형체를 입고 십자가에 매달리셨지만 영광의 부활로 만왕의 왕, 만주의 주가 되셨다.

왜 그리스도인이 세상에서 고난을 당하는가? 정체성의 차이 때문이다. 소속이 다르고 씨가 다르다. 그리스도인은 주님께 속했고 불신자들은 마귀에게 속했다. 우리 안에는 하나님의 씨앗이 심어졌다. 보는 눈이 다르니 가치관과 세계관에 차이가 나는 것은 불가피하다. 영에 속한 그리스도인은 육에 속한 자들이 지배하는 세상에서 늘 소수자로 있을 수밖에 없다. 미움과 질시의 대상이 된다. 자신들과 섞이지 않는 그리스도인의 순결한 삶은 불신자들을 못 견디게 만든다. 그러나 외톨이가 되어도 하늘 길을 걸어야 한다. 영이 같지 않으면 동행의 의미가 없다.

아브라함은 이스마엘을 내쫓아야 했다. 약속의 자녀와 유업을 함께 나눌 수 없었기 때문이다. 아브라함은 롯과 결별해야 했다. 거룩한 약속을 실현하기 위함이었다. 하나님은 자기 백성이 세상에 조화되기보다는 구별되기를 원하신다. 하늘에서 흘러오는 생명수는 세상과 그 물길부터가 다르다. 거룩한 삶을 살며 정절을 지키지 않으면 더러운 마귀와의 싸움을 감당할 수 없다. 성결한 마음에 용사의 혼이 깃든다.

오늘 이 세상은 천국을 동경하면서도 가슴속에는 지옥을 안고 사는 사람들로 가득하다. 성난 파도에 떠밀려 가면서도 높은 하늘을 날고 싶은 갈망에 몸부림치는 인생이 허다하다. 난리와 전쟁의 소문이 그칠 날이 없다. 지진과 홍수 등 천재지변이 지구를 뒤덮고 있다. 사람들은 지구촌을 수천 번 멸망시키고도 남을 핵무기의 위협으로 불안에 떤다. 강간과 살인, 신종 질병의 소식이 쉴 새 없이 들려온다. 이런 세상에서 사람들은 위로부터의 구원자를 기다리고 있다.

잊지 마라! 땅을 위한 구원은 땅에 있지 않고 하늘에 있다. 사람을 위한 구원은 사람에게 있지 않고 하나님께 있다. 문명이, 사상이, 철학이, 문학이나 예술이 타락한 인류의 영혼을 구원해 줄 수 없고 인생의 끝없는 문제를 해결해 줄 수 없다. 종교 자체도 세상에 구원을 주지 못한다. 구원자 하나님만이, 예수 그리스도만이 우리에게 구원을 주신다.

하나님이 구원해 주신다는 믿음을 붙들라! 골리앗처럼 우리를 위협하는 온갖 세력과 어두운 그림자들을 짓밟고 하나님이 구원하시는 능력을 믿고 찬양하라! 구원자 하나님, 건지시는 자 예수는 오늘도 나와 내 가정에 큰 기쁨과 축복으로 임해 오신다. 하나님이 나를 대적의 손에서, 질병과 죽음에서, 죄와 지옥 불에서, 현실적인 슬픔과 고민의 삶에서 건져 주신다. 하나님 구원의 신앙을 힘 있게 붙드는 이를 하나님이 이 세상뿐 아니라 오는 세상의 두려움에서도 건져 내실 것이다.

고난이 그리스도인의 피할 수 없는 운명이라면 승리는 그 운명을 이길 수밖에 없는 필연이다. 이 필연은 하나님이 정하신 뜻에 따라 성도의 삶에 궁극적으로 실현되고야 만다.

3장

불가능을 가능하게 하는 5가지 필승 전략

여호와께서 사람의 목소리를 들으신
이 같은 날은 전에도 없었고 후에도 없었나니
이는 여호와께서 이스라엘을 위하여
싸우셨음이니라

수 10:14

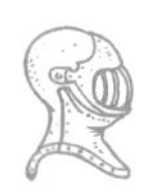

어떤 종류의 싸움이든 공평한 싸움은 없다. 전쟁은 언제나 불공평하게 진행된다. 한쪽이 강하면 다른 쪽은 상대적으로 약하다. 강자가 약자를 이기는 것은 어렵지 않다. 간혹 돌발적인 의외의 반전이 있긴 하지만 강자가 약자를 이기는 것은 쉬운 일이다. 특별한 전략이 필요하지 않다. 그러나 약자가 강자를 이기는 경우라면 이야기가 다르다. 반드시 전략이 필요하다.

인구 70만의 몽고가 아시아와 유럽 제국을 지배할 수 있었던 것은 전략적인 승리의 결과였다. 인류가 겪은 수많은 전쟁을 보면, 필승의 전략이 있는 곳에는 늘 기적적인 승리가 있었다는 사실을 알 수 있다. 영적 전쟁에서도 마찬가지다. 그리스도인이 싸워야 할 적은 매우 강하다. 죄와 세상과 사탄은 다양한 방법으로 그리스도인을 패배시키려고 한다. 그들은 영적으로 상대하기가 까다롭고 이기기에 벅찬 적들이다. 그러므로 영적으로 확고한 전략을 세워야 한다.

성도의 특징은 이기는 삶에 있다. 우리는 지기 위해서가 아니라 이기기 위해 부름 받은 자들이다. 요한계시록에는 주님이 승리자로 그려진다. 백마를 타고 영적 전쟁에서 이기시며 마귀와의 마지막 결전에서 완승을 거두시고 이 땅에 하나님 나라를 세우시는 분으로 소개

되었다.

모든 승리에는 길이 있고 법칙이 있다. 신앙생활이나 영적 싸움에도 승리에 이르는 법칙이 있다. 그 규모가 작건 크건 간에 법칙을 벗어난 승리란 없다. 그것은 하나님이 세우신 법칙이다. 승리의 길을 따라 걸으면 개선문에 이른다. 전략은 법칙에 충실한 것이다. 여기서는 여호수아의 사역과 연관하여 승리의 법칙을 살펴보고자 한다.

여호수아는 이스라엘 역사상 가장 많은 전투를 치르고 가장 확률이 높은 승리를 쟁취했다. 아이 성의 패배를 제외하고는 항상 승리였다. 아이 성의 전투도 문제를 해결한 후에 완승을 했으니 그에게는 상승장군이란 칭호가 아주 잘 어울린다. 필승의 법칙은 모두 여호수아와 관련이 있으니 그리심의 법칙, 길갈의 법칙, 기브온의 법칙, 여호와 닛시의 법칙, 에스골의 법칙이 그것이다.

다섯 개의 법칙은 나무에도 비유된다. 그리심의 법칙은 나무다. 한 사람의 그리스도인이 하나님의 말씀에 순종하여 행할 때 승리의 나무가 그의 삶에 심어진다. 말씀에 순종함이 없으면 나머지도 없다. 나무가 없으면 뿌리도, 접붙일 가지도, 꽃도, 열매도 생길 수 없다. 길갈의 법칙은 뿌리다. 악의 뿌리를 제거하고 사함을 받아 성결함을 이루어야 승리하는 용사가 된다. 기브온의 법칙은 접붙인 가지다. 조약이든 협약이든 하나님의 이름으로 나와 연결된 이를 돌보는 것이 승리에 이르게 한다. 여호와 닛시의 원리는 승리의 정원에 피어난 꽃이다. 에스골의 법칙은 열매에 해당한다. 약속은 씨앗으로 주어졌는데 약속의 땅에 들어가기 전에 얻은 포도송이는 장차 얻을 열매의 상징이다. 작은 씨앗에서 완전한 열매를 보고 행함이 승리를 얻게 한다.

❶ 그리심의 법칙 – 말씀의 순종이 승리로 이끈다

애굽에서 탈출한 이스라엘 백성은 식물과 음료 문제로 불평과 원망을 쏟아 냈다. 하나님은 그들을 위해 하늘에서 만나와 메추라기를 내리시고 반석에서 물이 솟아나게 하셨다. 이런 우여곡절을 겪으면서 그들이 시내 산 근처에 이르렀을 때 하나님은 모세를 시내 산 정상으로 부르셨다. 불꽃 가운데 강림하신 하나님은 백성이 지켜야 할 계명을 친히 두 돌판에 기록해 모세에게 주셨다.

모세의 하산이 지체되자 아론을 중심으로 백성이 금송아지를 만들어 섬겼다. 우상을 섬기지 말고 하나님만을 섬기라는 내용을 돌판에 새기고 있을 동안 그들은 우상을 섬기고 있었던 것이다. 산에서 내려온 모세는 백성의 방자함을 보고 손에 들고 있던 두 돌판을 산 밑으로 던져 깨트렸다. 그러자 하나님의 진노가 임했고, 여호와의 분노를 가슴에 품은 레위 자손들이 자신의 형제와 친구와 이웃을 죽였다. 이로 인해 레위 지파는 하나님께 헌신한 지파로 성별되었다.

하나님은 모세의 중보기도를 받으시고 새 돌판에 다시 기록하셨다. 하나님은 백성을 모으시고 그들에게 계명 준수를 명령하시면서 순종에 따른 복과 불순종에 따른 저주의 말씀을 생생하게 전하셨다.

내가 오늘 복과 저주를 너희 앞에 두나니 너희가 만일 내가 오늘 너희에게 명하는 너희의 하나님 여호와의 명령을 들으면 복이 될 것이요 너희가 만일 내가 오늘 너희에게 명령하는 도에서 돌이켜 떠나 너희의 하나님 여호와의 명령을 듣지 아니하고 본래 알지 못하던 다른 신들을 따르면 저주를 받으리라 네 하나님 여호와께서 네가 가서 차지할 땅으로 너를 인도하여 들이실 때에 너는 그리심 산에서 축복을 선포하고 에발 산에서 저주를 선포하라(신 11:26-29)

모세는 오늘의 방자함이 새로운 땅에까지 이어질까 봐 염려되었다. 그래서 약속의 땅에 들어가자마자 제일 먼저 그리심 산에서의 축복과 에발 산에서의 저주를 선포하게 했다. 그리심을 에발보다 앞세운 것은 이스라엘 백성이 하나님의 말씀을 순종하여 복 받기를 바라는 염원의 표시였다. 모세는 그리심 산에 설 지파로 시므온, 레위, 유다, 잇사갈, 요셉, 베냐민을 세우고 에발 산에 설 지파로는 르우벤, 갓, 아셀, 스불론, 단, 납달리를 세웠다. 하나님 말씀의 준수와 연관하여 어떤 지파는 축복의 도구로, 어떤 지파는 저주의 도구로 사용된 것이다. 긍휼의 그릇으로 사용되었던 모세와 진노의 그릇으로 사용되었던 바로를 연상시키는 장면이다.

여호수아는 모세의 시종이었다. 그는 그림자처럼 모세를 수행했다. 모세가 시내 산에서 하산할 때 그의 곁에는 여호수아가 있었다. 여호수아는 금송아지 우상을 섬기며 소동하던 백성의 소리를 듣고 모세에게 알려 주었다. 우상 숭배의 축제 이후에 들이닥친 진노의 살육도 보았고, 모세가 하나님과 친밀한 회동을 하는 동안 회막을 떠나지 않고 지키던 그였다. 물론 두 돌판을 기록하고, 그리심 산에서의 축복과 에발 산에서의 저주에 관한 모세의 명령도 모두 들었다. 여호수아는 출애굽에서 가나안 정복에 이르기까지 이스라엘 백성을 구속하신 하나님의 역사를 가장 잘 알고 있었다.

가나안 국경을 넘으면서 가장 큰 성 여리고와 가장 작은 성 아이를 점령하고 난 뒤에 여호수아는 에발 산에 여호와를 위하여 단을 쌓았다. 번제와 화목제를 드린 후 여호수아는 이스라엘 백성의 목전에서 모세가 기록한 율법을 돌로 만든 단에 새겨 넣었다. 백성의 장로들과 유사들과 재판장들과 본토인을 비롯하여 이방인까지 언약궤를 멘 제사장들 앞에서 좌우편으로 여섯 지파씩 갈라섰다. 모세가 명령한 대로 그리심 산에서 축복을, 에발 산에서 저주를 선포했다. 백성은 축복과 저주의 말씀이 전해질 때마다 아멘으로 화답했다. 그것은 하나님과 맺는 언약식이었다.

민둥산이라고 불리는 에발 산(해발 950m)은 실제로 나무가 없어서 황량하지만 그리심 산(해발 881m)에는 수목이 울창했다. 그리심 산은 사마리아인의 성전이 있는 곳으로서 그들은 아브라함이 이삭을 번제로 바치려고 했던 곳이 여기라고 믿는다. 신약에 와서는 주님이 사마리아 여인을 전도하신 곳이 바로 그리심 산이 마주 보이는 수가 성 지역이었다. 서로 마주 보고 있는 형태의 남쪽의 그리심 산과 북쪽의 에발 산 사이에는 마치 로마의 원형 극장처럼 음향 효과가 뛰어난 천연의 장소가 형성되어 있었다.

여섯 지파씩 번갈아 가며 축복과 저주를 외친 그날의 함성은 천지를 뒤덮고도 남을 만했다. 돌단에 각인된 말씀처럼 그들의 고막을 울린 말씀이 이스라엘 백성의 마음에 또렷이 새겨졌을 것이다.

두 산이 보이는 곳에 세겜 평지가 있는데 이곳은 아브라함이 하나님의 약속을 받고 처음 제단을 쌓은 곳이다. 또한 여호수아가 이스라엘 백성을 모아 놓고 "너희 조상들이 강 저쪽에서 섬기던 신들이든지 또는 너희가 거주하는 땅에 있는 아모리 족속의 신들이든지 너희가 섬길 자를 오늘 택하라. 오직 나와 내 집은 여호와를 섬기겠노라(수 24:15)"고 선포했던 곳도 세겜이다. 전통적으로 랍비들은 아이들에게 율법을 가르칠 때 그들을 세겜으로 데려가 그리심 산과 에발 산을 가리키며 하나님 말씀에 순종할 때의 축복과 불순종할 때의 저주를 가르쳤다.

확실한 승리의 비결

그리심의 법칙은 말씀에 순종해야 함을 보여 준다. 실제로 여호수아의 사역을 총평하자면 그는 말씀 중심의 삶으로 시작해서 말씀 중심의 삶으로 마감했다. 아직도 정복하지 못한 땅들이 남아 있었지만 여호수아는 승리를 확정하고 믿음으로 각 지파에게 땅을 분배했다. 공식적으로 가나안 정복을 끝내면서 성경은 여호수아가 그리심의 법칙에 충실했음을 한마디로 요약했다.

> 여호와께서 그의 종 모세에게 명령하신 것을 모세는 여호수아에게 명령하였고 여호수아는 그대로 행하여 여호와께서 모세에게 명하신 모든 것을 하나도 행하지 아니한 것이 없었더라(수 11:15)

말씀의 순종은 가장 확실한 승리의 비결이다. 말씀은 약속이며, 승리란 약속이 우리의 삶에 그대로 성취되는 것이다. 하나님이 우리에게 주신 약속, 곧 순종자에게 주신 약속의 내용이 승리가 아니면 무엇이란 말인가! 여호수아는 모세를 통해 전해 주신 하나님의 명령을 하나도 빠짐없이 모두 순종했다. 철저한 순종자인 여호수아가 상승장군의 영예를 얻은 것은 너무도 당연하다. 그는 말씀이신 그리스도의 모형으로 아무 손색이 없다.

성경은 분명히 그리심 산에서의 축복과 에발 산에서의 저주를 말하는데, 우리는 에발 산과 그리심 산이라는 표현에 더 익숙하다. 왠지 모르겠다. 의식적으로라도 그리심 산을 앞세우는 훈련이 필요하다. 성경은 저주와 축복의 책이 아니라 축복과 저주의 책이다. 저주의 패배를 등 뒤에 두고 축복의 승리를 푯대로 삼는 것은 주님의 뜻이다. 순종의 걸음으로 그리심을 향해 달리자! 여호수아가 모세의 명을 그대로 따른 것처럼 우리도 여호수아가 걸었던 그 길을 그대로 따르자!

하나님의 말씀이 임하면 앞뒤 잴 것 없이 무조건 순종해야 한다. 내게 직접 임한 말씀이 없어도 하나님의 사람에게 임한 하나님의 영광을 인정하고 따르는 것도 순종이다. 무엇이 그리심 산의 축복과 에발 산의 저주를 가르는가? 그 기준은 무엇인가? 바로 제사장들이 멘 언약궤다. 즉, 하나님의 말씀이다. 하나님의 말씀을 우편에 두고 빛을 받고 살면 그리심 산(순종)의 승리자가 되지만, 말씀을 좌편에 두고 그늘진 곳을 고집하면 에발 산(거역)의 패배자가 된다.

하나님은 우리 모두에게 복과 생명, 화와 사망을 공평하게 두셨다.

어느 편을 선택할지는 전적으로 우리에게 달려 있다. 여호수아는 승리의 법칙을 선택했기에 승리가 그의 몫이었다.

말씀에 불순종하는 것은 곧 말씀을 거역하는 것이다. 하나님의 말씀에 대한 순종과 거역을 대조적으로 보여 주는 인물은 다윗과 사울이다. 이스라엘의 구원자로 역사의 전면에 등장했던 사울은 조급함을 이기지 못해 하나님의 말씀을 거역하는 대죄에 빠졌다.

사건의 전말은 이렇다. 하나님이 사울 왕에게 이스라엘의 대적인 아말렉을 쳐서 사람과 짐승 모두 진멸할 것을 명하셨다. 사울은 아말렉 왕 아각을 사로잡고 백성을 진멸하는 중에 가치 없고 초라한 것은 진멸하고 짐승의 좋은 것은 진멸하지 않았다. 그러자 하나님의 말씀이 사무엘에게 금방 임했다. 사울을 왕으로 세운 것을 후회한다는 말씀이었다. 사울이 하나님의 말씀을 거역했기 때문이다. 그에게 직접 기름을 붓고 이스라엘 초대 왕의 대관식을 집전했던 사무엘은 온 밤을 근심으로 지새웠다.

초췌해진 사무엘이 급히 사울을 만나려고 했지만 사태의 심각성을 깨닫지 못한 사울은 갈멜에 들러 자신을 위한 기념비를 세우고 길갈로 돌아갔다. 사무엘이 사울을 찾아가자 사울은 자신이 하나님의 명령을 수행했다고 보고했다. 짐승 떼의 울음소리를 들은 사무엘이 사울을 책망했다. 그러자 사울은 그 남은 짐승은 하나님께 드릴 제물용이었다고 변명하면서 그 죄를 백성에게로 돌렸다.

사울은 하나님의 뜻을 오해하고 있었다. 하나님이 원하시는 것은 천천의 숫양이나 만만의 강물 같은 기름이 아니라 말씀에 대한 순종이었다. 하나님의 목소리에 순종하는 것이었다. 이 사건을 기점으로 사울은 결국 일어나지 못한 채 주저앉고 말았다. 그는 말씀을 거역하는 자가 얼마나 하나님을 슬프게 하며 영혼을 파괴하는지를 여실히 보여 준 산 표본이 되었다.

하나님의 말씀을 거역하는 것은 점치는 죄(sin of divination)와 같다. 말씀에 순종하면 신바람이 나지만 거역하면 칼바람을 맞는다.

> 너희가 즐겨 순종하면 땅의 아름다운 소산을 먹을 것이요 너희가 거절하여 배반하면 칼에 삼켜지리라 여호와의 입의 말씀이니라(사 1:19-20)

❷ 길갈의 법칙 – 첫사랑이 회복돼야 승리한다

길갈의 법칙은 첫사랑과 첫 믿음이 회복되어야 함을 보여 준다. 기브온의 구원 요청을 받아들인 여호수아는 이스라엘의 모든 군사와 용사를 이끌고 길갈에서 떠났다. 여리고 성에서 약 2.5마일 떨어진 지점에 위치한 길갈은 이스라엘 백성이 가나안에 들어와 맨 처음 진을 친 곳이다. 이곳을 길갈이라 부른 데는 그럴 만한 이유가 있다.

길갈이란 '굴러간다'는 뜻이다. 광야에서 태어난 이스라엘 자손들은 광야에서 40년 동안 한 번도 할례를 행하지 않았다. 여호수아는 여리고 성 함락에 앞서 이스라엘 자손에게 할례를 행했다. 할례는 그들을 이방 민족과 구별시키는 언약의 표징이었기에 여호수아는 가나안 정복의 첫 전쟁을 앞두고 이 중요한 일을 매듭지었다. 할례를 마치자 하나님이 여호수아에게 나타나 말씀하셨다.

> 내가 오늘 애굽의 수치를 너희에게서 떠나가게 하였다(수 5:9)

여호수아는 길갈에다가 이스라엘 열두 지파를 상징하는 열두 개의 돌을 세웠다. 그것은 언약의 백성으로 새로운 땅에서 새 출발을 한다는 결심의 상징이었다.

길갈은 우리의 옛 생활이 정리되는 곳이다. 길갈은 우리가 용서받은 곳이다. 우리가 받은 은혜를 잊지 않고 기억하는 곳이다. 길갈은 하나님을 만나고 죄 용서함을 받은 자리다. 길갈에서 과거의 흔적을 지우지 않으면 새로운 삶이 열리지 않는다.

하나님은 길갈에서 이스라엘 백성이 자신들의 수치스러운 과거를 잊도록 만드셨다. 이스라엘 자손은 애굽에서 노예 생활을 한 적이 없고 모두 광야에서 태어났지만, 그들의 의식 속에는 노예의 자식이란 생각이 깊게 뿌리박혀 있었다.

애굽 사람의 노예가 되어 벽돌을 구우며 소망 없이 살았던 부모 세대를 부끄럽게 여기고 있었다. 할례는 이런 수치를 제거하는 일이었다. 그들은 430년간의 노예의 역사보다 더 오래된 할례의 언약을 기억해야 했다. 할례는 그들에게 잃어버렸던 하나님과의 언약을 상기시켜 주었다.

과거에 매인 사람은 미래에 적응하기 어렵다. 과거의 성공과 실패는 잊는 것이 상책이다. 실패를 기억하면 실패에 대한 두려움이 우리의 전진을 가로막고 성공을 기억하면 성공의 향수가 우리의 발목을 잡을 수 있다. 나쁜 기억일수록 잊는 것이 지혜다. 수치에서 벗어나지 못하면 그것이 덧난 상처처럼 우리의 삶을 더욱 악화시킨다. 바울의 고백처럼 지난 모든 경험을 등 뒤에 던지고 앞을 향해 나아가야 한다.

> 형제들아 나는 아직 내가 잡은 줄로 여기지 아니하고 오직 한 일 즉 뒤에 있는 것은 잊어버리고 앞에 있는 것을 잡으려고 푯대를 향하여 그리스도 예수 안에서 하나님이 위에서 부르신 부름의 상을 위하여 달려가노라
>
> (빌 3:13 14)

우리에게는 길갈의 경험이 반드시 있어야 한다. 우리의 죄를 용서받은 확실한 경험과 함께 살아 계신 하나님을 만난 경험이 있어야 한다.

야곱에게 길갈은 얍복 나루터였다. 20년의 피난살이를 통해 숱한 고생을 했음에도 변화되지 않던 야곱이 얍복 나루터에서 하나님을 만나 이스라엘로 변화되었다. 바울에게는 다메섹 도상이 그의 길갈이었다. 잔혹한 핍박자 사울이 하나님을 만나 바울로 변화되었다. 삭개오에게는 뽕나무 위가 그의 길갈이었다. 거기서 삭개오는 생명의 주님을 만났다.

변화의 표는 예배에 있었다. 하나님을 만난 야곱도 하나님께 예배했고 부활의 주님을 만난 바울도 주님께 경배드렸다. 생명의 주님을 만난 삭개오도 주님께 엎드려 경배했다.

예배(프로스쿠네오. proskuneo)란 '엎드려 경배드림'을 의미한다. 우리는 예배를 통해 하나님을 만난다. 내가 하나님을 만날 수 있는 근거는 바로 하나님이 예배를 통해 나를 만나고자 기다려 주시기 때문이다. 예배는 그런 놀라운 경험의 자리다. 예배를 중요하게 여겨라! 어떤 환경, 어떤 상황, 어떤 형편, 어떤 조건 아래서도 우선적으로 하나님께 예배드리기를 힘쓰라! 그것이 여호수아가 세운 열두 돌처럼 우리로 하여금 하나님의 은혜를 기억하게 만든다.

기념비가 세워지지 않으면 길갈은 길갈이 아니다. 오늘도 길갈의 하나님은 예배하는 자를 기다리신다. 우리가 신령과 진리로 바른 예배를 드리기만 하면 하나님의 영광을 볼 수 있다. 모세와 엘리야가 사라진 변화산에서 베드로와 요한과 야고보는 주님 한 분만 바라볼 수 있었다. 나와 세상은 간 곳 없고 구속하신 주님만 보이는 것이 진정한 예배의 경험이다.

우리의 길갈은 어디에 있는가? 우리 모두의 길갈은 바로 예수님의 십자가다. 십자가는 우리의 모든 수치가 굴러가는 곳이다. 십자가 앞에서 우리의 모든 무거운 죄 짐을 내려놓는다. 수치는 사라지고 약속이 주어진다.

『천로역정』을 보면 주인공 크리스천이 무거운 죄 짐을 등에 짊어지고 천성을 향해 여행을 한다. 장차 멸망당할 장망성을 벗어나 한참을 달려가다가 좁은 문을 지나 십자가를 보는 순간 죄의 보따리가 등에서 벗겨져 땅속으로 사라진다. 십자가는 죄가 굴러가는 곳이다. 우리의 길갈, 주님의 십자가를 잊어서는 안 된다. 유대인들은 십자가를 부끄럽게 여기고 헬라인들은 십자가를 우습게 여기지만 구원을 얻은 우리에게 십자가는 하나님의 지혜요 능력이다.

> 십자가의 도가 멸망하는 자들에게는 미련한 것이요 구원을 받는 우리에게는 하나님의 능력이라(고전 1:18)

길갈의 기억이 희미한가?

길갈은 수치심이 제거되기에 자신감이 회복되며 죄를 용서받기에 자유가 있는 곳이다. 우리의 수치가 사라진 그 자리에, 우리의 죄가 도말된 그곳에 마땅히 기념비를 세워야 한다. 사무엘이 미스바와 센 사이에 에벤에셀 기념비를 세웠듯이 하나님의 도움을 만방에 알리는 표지판을 세워야 한다. 아브라함과 이삭과 야곱은 하나님의 은혜가 특별했던 장소에 돌단과 제단을 쌓았다. 하나님의 도움을 기억하기 위해서였다.

길갈에 하나님께 드리는 예배가 없다면 승리는 반쪽에 불과하다. 얻은 승리도 잃어버리게 되고 승리의 기쁨도 이내 사라져 버린다. 언약의 하나님께 감사하는 예배가 바로 우리가 세워야 할 기념비다. 예배는 곧 하나님께 대한 감사다. 감사함 없이 이루어지는 예배란 없다. 진정한 감사를 느끼는 곳에 진정한 예배가 있다.

여호수아는 길갈에서 출발하여 전쟁에 이기자 다시 길갈로 돌아왔다. 이것은 우리가 얻은 승리를 보전하기 위한 비결이 무엇인지 알려준다. 우리가 얻은 승리를 굳건히 하려면 우리가 출발했던 자리로 돌아가야 한다. 길갈은 우리의 신앙 여정에서 출발지이자 목적지다. 십자가에서 출발했으면 십자가로 돌아가야 한다. 성도의 삶은 시작도 끝도 같아야 한다. 죄를 용서받은 곳에서 시작된 우리의 여정은 역시 죄를 용서받은 곳에서 끝난다. 좁은 문의 입구로 들어왔으면 천국에 들어갈 때도 좁은 문의 출구를 반드시 통과해야 한다.

우리가 하나님 나라에 들어가려면 사실 많은 것이 필요한 게 아니다. 주님 오른쪽에 매달린 강도가 받았던 십자가의 은혜면 족하다. 우리를 천국으로 이끄는 것은 베드로나 바울이 이룩한 굉장한 사역 같은 게 아니다. 베드로나 바울이 주님의 십자가를 힘입어 천국에 들어가듯이 우리에게 필요한 것은 오로지 십자가의 은혜다. 더도 말고 덜도 말고 십자가의 은혜만 같아라! 십자가에서 흘리신 주님의 보혈로 말미암아 얻은 죄 사함이 은총이다. 사역이 아니라 죄 사함이 우리의 영혼을 구원한다.

길갈의 기억이 희미한가? 첫사랑을 잃었고 첫 믿음을 잃었기 때문이다. 우리는 반드시 길갈에서 시작되었던 주님과의 첫사랑, 하나님을 향한 첫 믿음의 기억을 회복해야 한다. 에베소교회는 그 많은 칭찬과 수고에도 불구하고 주님을 향한 첫사랑을 잃었기에 책망을 받았다. 주님을 처음 믿었을 때 우리가 얼마나 기뻐했던가? 주님과 나눈 첫사랑의 기억은 매우 소중하다. 세상을 방황하다가 다시 주님께로 돌아가는 것도 첫사랑의 기억 때문에 가능한 것이다.

어떻게 잃어버린 첫사랑을 찾고 첫 믿음을 회복할 수 있을까? 회개만이 유일한 방법이다. 회개는 이전 일을 기억하고 원래 상태를 회복하는 것이다. 그래서 주님은 에베소교회 성도들에게 "어디서 떨어졌는지를 생각하고 회개하여 처음 행위를 가지라(계 2:5)"고 권면하셨다. 회개하면 우리의 발걸음은 자연히 길갈로 향한다. 길갈로 돌이키면 승리의 삶은 은혜 안에서 얼마든지 보장된다. 여호수아는 여리고 성의 첫 싸움을 시작으로 죽을 때까지 33개국 왕들과 싸워야 했지만 모두 이겼다. 그는 길갈의 법칙을 알았기에 약속의 땅 가나안을 승리로 쟁취할 수 있었다.

우리가 승리를 얻은 후에 승리의 자리에 머무르기보다 원래의 자리로 돌아가는 것이 은혜다. 문제가 해결되기 전의 그 상태, 승패를 알 수 없는 중요한 싸움을 앞두고 마음 졸이던 그 순간으로 돌아가는 것이 축복이다. 그러면 내가 얻은 승리가 얼마나 큰 은혜요 축복인지 알게 된다.

길갈을 거꾸로 읽으면 갈 길이 된다. 길갈은 우리가 갈 길이다. 십자가의 길이요 많은 사람이 찾지 않는 비좁은 길이다. 그럼에도 불구하고 우리가 반드시 걸어야 할 은혜와 승리의 길이다. 기브온의 법칙으로 승리를 얻었으면 길갈의 법칙으로 그 승리를 보존해야 한다.

사람들은 길갈로 돌아가는 것을 탐탁해하지 않는다. 지금의 성숙하고 품위 있는 모습을 더 좋아한다. 그러나 때로 우리가 하나님 앞에서 벌거벗은 상태로 드러날 필요가 있다. 계급장도 훈장도 다 떼어 버리고 연약하고 부족한 모습 그대로 하나님께 자신을 내보일 필요가 있다. 그것이 교만하기 쉬운 우리가 하나님 앞에서 겸손을 지켜 가는 방법이다.

우리는 삶에서 하나님이 승리를 주실 때마다 앞으로 나아가기보다는 길갈로 돌아가는 법을 배워야 한다. 길갈로 돌이키는 자에게 언제나 더 큰 승리가 예비되어 있다.

❸ 기브온의 법칙 – 사람에게도 성실해야 승리한다

기브온의 법칙은 하나님과의 언약만큼 사람과의 약속에도 성실해야 함을 가르친다. 우리는 하나님의 이름으로 불리는 사람들이다. 세상 사람과 맺은 약속의 이면에는 우리가 섬기는 하나님의 존재가 있다. 성도의 삶은 하나님의 성품을 반영한다. 사람과의 약속을 지키려는 우리의 성실함은 하나님을 기쁘시게 한다. 하나님은 그런 사람을 도와주신다.

이스라엘 백성을 이끌고 광야에서 벗어난 여호수아는 단번에 가나안 땅으로 진격했다. 불신의 세대가 사라지고 광야에서 태어난 새로운 세대를 데리고 친구 갈렙과 함께 가나안 정복전쟁을 시작했다. 첫 상대는 매우 강했다. 여리고 성 함락작전에 나선 여호수아는 하나님의 전략에 순종하여 하루에 한 번씩 여리고 성을 돌면서 성의 붕괴를 기다렸다. 일곱째 날에 이르러 백성과 함께 여리고의 붕괴를 크게 외쳤다. 놀랍게도 무너지지 않을 것 같던 여리고 성이 무너졌고, 이스라엘은 가나안 정복전쟁의 첫 싸움을 대승으로 이끌었다.

크고 강한 성 여리고를 기적적으로 취한 이스라엘의 사기는 하늘을 찌를 것 같았지만 연이어 벌어진 아이 성 전투에서 패배하여 큰 충격에 빠졌다.

한편 여리고와 아이에서의 전투 결과를 들은 가나안의 일곱 족속은 두려움에 휩싸였다. 이에 가나안 남부에 살던 아모리 족속 가운데 가장 강하고 큰 기브온 거민이 이스라엘과 화친을 맺기 위해 꾀를 냈다. 그들은 길갈에 머물고 있던 여호수아에게 찾아왔다. 낡은 옷과 신발을 신고 곰팡이 난 떡을 보이면서 자신들이 이스라엘과 화친을 맺고자 멀리서 찾아온 것처럼 둘러댔다. 이스라엘은 피 흘리지 않고 그들을 정복할 수 있다는 생각에서 평화 조약에 서명했다. 중요한 문제를 놓고 여호수아는 기도하지 않고 성급히 화친을 맺었다.

사흘 뒤에 그들이 근처에 사는 족속인 것을 알았지만 때는 이미 늦었다. 하나님의 이름으로 맺은 언약은 번복이 불가능하기 때문이다. 이로 인해 아모리 족속인 기브온 거민만이 가나안 일곱 족속 중에서 유일하게 살육당하지 않고 이스라엘과 함께 살게 되었다. 그러나 그들은 이스라엘이 결코 사랑할 수 없는 이웃이었다. 심정적으로는 미운 자들이었지만 조약에 따라 그들을 받아들였다.

다윗 시대에 3년간 연달아 큰 기근이 들자 다윗이 하나님께 간구했다. 그러자 하나님이 그 이유를 알려 주셨다. 이스라엘의 첫 왕인 사울은 지나친 열심 때문에 가나안 원주민이었던 기브온을 학살했다. 그것은 여호수아가 그들과 맺은 화친 조약을 깨트린 사건이었다. 이스라엘 백성의 입장에서는 심정적으로 미운 기브온 거민을 죽인 일이 나쁠게 없었다. 그러나 하나님은 언약을 깨트린 사실에 분노하셨고, 언약을 깨트린 백성에게 등을 돌리셨다. 그것이 다윗 대에 이르러 흉년이 라는 재앙으로 나타났다.

다윗은 기브온 거민들을 불러 어떻게 속죄해야 할지 물었다. 그들은 물질적인 보상을 거절하고 사울 자손 중에서 일곱을 죽여 달라고 요구했다. 다윗이 그들을 죽여 기브온 거민의 원한을 갚자 이스라엘은 기근에서 벗어났다.

내 핏줄이 아닌 이를 품고 자식처럼 돌보기란 쉽지 않다. 여호수아와 이스라엘 백성의 입장에서 기브온 족속은 뜨거운 감자 같은 존재였다. 내뱉을 수도 없고 삼킬 수도 없는 음식 같았다.

화친을 맺고 난 뒤 얼마 지나지 않아 그들에게서 급한 전갈이 왔다. 예루살렘 왕을 비롯해서 다섯 왕들이 동맹하여 기브온을 전격 침공한 것이다. 자신들을 배신한 기브온을 처단하기 위해서였다. 기브온은 위기를 당하자 얼마 전에 맺은 화친 조약에 근거하여 여호수아에게 도움을 요청했다. 여호수아는 기브온 거민들의 구원 요청을 받고 망설이지 않았다. 이스라엘의 군사와 용사 전원을 소집하여 22마일 길을 달려갔다. 잠시도 쉬지 않고 달려 동맹군들을 급습했다.

껄끄러운 상대를 위해 싸운다는 것은 매우 힘든 일이다. 속으로 미운 자를 위해 싸우는 싸움은 힘겨울 수밖에 없다. 그러나 여호수아는 힘을 다해 싸웠다. 여호수아가 치렀던 그 숱한 전쟁 중에서 기브온 거민을 위한 싸움이 가장 치열했던 것도 그의 전투 의지가 얼마나 진심이었는지를 반영한다.

여호수아는 합격점을 받았다. 그는 전쟁이 막바지에 이르자 적들을 괴멸시킬 기회를 놓치지 않기 위해 어쩌면 가장 힘든 기도를 드렸다. 그 누구도 드려 보지 못한 기도를 드렸다. 고대에는 야간 전투가 불가능했고 구식무기 체제의 싸움은 밝을 때만 이루어졌다. 여호수아는 적을 궤멸시킬 시간을 벌기 위해 태양은 기브온 위에 머물고 달은 아얄론 골짜기에 서 있도록 기도를 드렸다. 그것은 하나님이 정하신 자연법칙을 거스르는 비상식적인 기도였다. 이성의 소리를 잠재우면서 여호수아는 믿음의 기도를 드렸다.

놀랍게도 하나님은 여호수아의 기도를 들어주셨다. 태양이 중천에 머무르고 달 또한 제자리를 벗어나지 않았다. 자신의 품속에 뛰어든 적과의 언약을 중시하는 그의 성실성을 하나님이 높게 평가하셨다. 이 기도의 응답이 갖는 의미를 성경에서는 이렇게 표현한다.

> 여호와께서 사람의 목소리를 들으신 이 같은 날은 전에도 없었고 후에도 없었나니 이는 여호와께서 이스라엘을 위하여 싸우셨음이니라(수 10:14)

하나님께 가장 확실한 기브온은, 나

우리에게 기브온은 누구인가? 누구에게나 기브온의 존재는 있다. 사랑하면서도 미워하고 미워하면서도 사랑할 수밖에 없는 존재, 곧 애증 관계의 대상이 있다. 사랑하기로 약속했기에 미워도 사랑할 수밖에 없는 존재, 그것은 내 남편일 수도 있고 내 아내일 수도 있다. 내 친구일 수도 있고 때로는 가깝다가 때로는 멀어졌다가 하는 이웃일 수도 있다. 사업상의 파트너일 수도 있고 직장 동료일 수도 있다. 우리가 신자로서 그들과 맺은 관계는 하나님 앞에서의 약속과 마찬가지다. 자신을 위해서라도 껄끄러운 그들의 도움을 거절해서는 안 된다.

심정적으로 미운 이를 돕고 사랑하는 과정에서 상상을 초월하는 기적이 일어난다. 하나님은 커다란 우박을 내려 적들을 멸하셨다. 이스라엘의 칼에 죽은 자보다 우박에 맞아 죽은 적들이 더 많았다. 태양이 운행을 멈추었다. 달도 움직이지 않았다. 여호수아가 목숨을 건 싸움에 달려들 수 있었던 것은 그가 먼저 마음에서 애증의 싸움에 이겼기 때문이다. 마음에서 극복하지 못했다면 그 힘든 싸움에 앞장서지 못했을 것이다.

사람과의 관계에서는 싸움이 그칠 새가 없다. 그래서 삶이 어려운 것이다. 지금도 우리는 마음의 전쟁을 치르고 있다. 십중팔구는 아마 관계의 갈등에서 오는 싸움일 것이다. 더 많은 기도가 필요하고 더 확실한 주님의 도움이 요구된다. 사랑할 수 있는 사람을 사랑하는 것은 어려운 일이 아니다.

사랑할 수 없는 대상, 그렇다고 해서 내버릴 수도 없는 대상을 가슴에 품고 사랑하는 것이 어렵다. 그와 약속 관계에 있다면 결단코 깨서는 안 된다. 어렵더라도 시도해야 하며 품고 사랑하는 노력을 포기하지 말아야 한다. 품을 수 없는 자를 마음에 품고 도움을 베풀며 진심으로 사랑을 나눌 때 놀라운 기적이 내 삶에 일어난다.

아브라함에게도 기브온이 있었다. 바로 롯이다. 아브라함은 조카 롯을 자신의 믿음 여행에 동행시켰지만 중요한 고비마다 롯은 아브라함의 발목을 붙잡았다. 경작지를 선택하게 되었을 때 롯은 삼촌을 무시하고 기름진 땅을 먼저 독차지했다. 그는 도움이 필요할 때면 아브라함에게 손을 내밀었지만 기회가 찾아오면 양보하는 법이 없었다. 비록 사랑하는 조카였지만 롯은 아브라함에게 얄미운 존재였다.

그러한 롯이 살던 소돔이 4개국 동맹군의 공격을 받았다. 소돔을 비롯한 5개국의 연합군이 열심히 싸웠지만 전쟁에 졌다. 롯은 적들의 포로가 되어 끌려갔다. 이 소식을 들은 아브라함은 자신의 사병 318명을 모조리 끌고 가서 미운 오리새끼 같은 조카 롯을 구출하고자 전심전력을 다해 싸웠다. 아브라함은 참으로 마음이 큰 사람이었다. 그가 자신의 기브온이었던 롯의 곤경을 모른 척하지 않고 도와주자 결과적으로 다섯 나라를 구출한 영웅으로 우뚝 섰다. 그의 마음의 크기가 하나님 앞에서 축복의 크기를 결정지었다. 아브라함은 축복의 조상이 되었을 뿐만 아니라 만민에게 복을 전해 주는 복의 근원이 되었다.

우리에게도 롯 같은 이가 있다. 나의 도움으로 인생의 위기를 벗어났음에도 정작 내가 삶의 위기를 만나 도움을 호소하면 외면하는 이들이 있다. 내가 힘들어하면 혹시 귀찮게 굴지나 않을까 해서 슬그머니 멀어지는 사람들도 있다. 인간 세상에서 배은망덕은 참으로 쓰리고 아픈 경험이다. 문제는 그들이 다시 고개를 숙이고 잘못을 빌며 도움을 호소할 때 우리가 거절할 수 없다는 사실이다.

그가 누구이든 간에 그들을 내 삶에 받아들인 만큼 끝까지 용서하고 도움을 베풀어야 한다. 이것이 베드로가 "주여, 형제가 내게 죄를 범하면 몇 번이나 용서하여 주리이까? 일곱 번까지 하오리이까?"라고 질문했을 때 예수님이 "일곱 번뿐 아니라 일곱 번을 일흔 번까지라도

할지니라"고 답하신 이유다. 이는 끝까지 용서하라는 말씀이다. 형제이기 때문이다. 형제란 변하지 않는 약속 관계다.

가까운 사람들은 약속 안에서 내 가족이고 친구이고 이웃이다. 나의 기브온으로 품었으면 끝까지 살펴야 한다. 마음으로 미워도 그를 돕고 도움을 베풀 때 우리 삶의 영역은 그만큼 더 넓어지고, 내 인생에서 기적 같은 일이 무수히 일어난다.

'나에게 기브온은 누구일까?'를 생각하기보다는 '하나님 앞에서 기브온이 누구일까?'를 생각하는 것이 중요하다. 하나님께 가장 확실한 기브온은 바로 나 자신이다. 선택했기에 사랑하지만 불순종하기에 미워할 수밖에 없는 존재. 그래서 성경은 우리를 하나님과 원수 되었던 자라고 말한다. 내 잘못으로 인해 나는 하나님과 원수 되었다. 기브온과 롯, 반역하는 이스라엘 백성보다 하나님에게 더 미운 존재는 그 누구도 아닌 바로 나다. 그런 나를 하나님이 언약의 자녀로 받아 주셨다.

내가 죽어야 할 죽음을 언약 때문에 주님이 대신 죽으셨고, 내가 당해야 할 아픔을 언약 때문에 주님이 대신 당하셨다. 내가 울고 고민해야 할 무거운 짐을 언약 때문에 주님이 몽땅 져 주셨다. 정말이지 미워도 다시 한번 우리를 긍정해 주셨다. 지금도 기브온 같은 나를 우리 주님이 그 옷자락으로 감싸 안으신다. 보혈로 덮어 주신다. 영원한 팔로 안아 주신다. 너풀거리는 독수리 날개 위에 우리를 태우신다. 오직 내가 언약의 자녀가 되었다는 이유 하나 때문에 하나님이 나를 대신해서 나의 싸움을 싸워 주신다.

하나님이 기브온 같은 나를 받아 주시고, 약속의 자녀이기에 나와 관련된 모든 것을 돌봐 주신다면 우리의 기브온 역시 받아들이고 사랑으로 돌볼 수 있어야 한다. 삶의 기적은 쉽게 일어나지 않는다. 밉지만 주님의 사랑으로 사랑하고, 도움을 요청할 때 거절하지 않고, 언약 때문에라도 돌보면 바로 그때 놀라운 기적이 우리 삶의 영역에 꽃처럼 피어날 것이다. 나의 기브온을 포근히 감싸고 희생 깃든 삶을 사는 것이 불가능한 싸움을 이기게 만드는 길이다.

❹ 여호와 닛시의 법칙 – 기도와 삶이 일치해야 승리한다

여호수아의 승리 중에서 가장 빛나는 것이 있다면 바로 르비딤에서의 승리다. 여호수아는 르비딤에서 치른 첫 전투에서 일약 이스라엘의 용사로 드러났다. 생사를 건 첫 전투에 출전한 여호수아가 이스라엘의 역사에 극적으로 등장하는 순간이었다. 모세의 시종으로서 성실히 그를 수발했던 여호수아는 첫 전투를 승리로 이끌면서 모세의 후계자로 낙점되는 그루터기를 마련했다. 르비딤 전투는 영적 전쟁의 한 전형으로서 전투 자체보다 기도의 중요성에 초점이 맞춰진다. 그것은 한두 사람의 중보기도가 영적 전투에서 얼마나 큰 능력을 발휘하는지를 여실히 보여 준 사건이었다.

아말렉은 에서의 손자인 아말렉의 후예들인데, 이들은 비가 많이 내리는 지역을 찾아 이동하며 유목 생활을 하던 자들이다. 아말렉은 '호전적인 자' '계곡의 거주자'란 뜻을 지녔다. 아랍어로는 '거인'을 뜻한다. 그들은 오늘날의 이집트 국경지역과 시내 반도에 걸쳐 유목 생활을 하던 약탈 그룹이었다. 르비딤은 두 민족이 거주할 수 없을 만큼 협소한 지역이었고, 더욱이 시내 반도에서 가장 큰 파이란(Fairan) 오아시스가 있었기 때문에 아말렉으로서는 생명의 젖줄을 가만히 넘겨줄 수 없는 노릇이었다.

천혜의 요새에 생존권을 건 한판 싸움은 불가피했다. 외나무다리 중간에서 마주친 격이었다. 다리는 아말렉 군대가 먼저 흔들었다. 전쟁을 먼저 걸었다. 전쟁의 배경을 좀 더 자세히 살펴보면 다음과 같다.

애굽을 탈출한 이스라엘 백성은 한 달 만에 신광야에 이르지만 먹는 문제로 어려움에 봉착했다. 자유는 얻었지만 애굽의 고기 가마 곁에서 배불리 먹던 떡을 잊지 못했다. 온 백성이 모세와 아론을 원망했다. 이에 하나님은 만나와 메추라기를 보내 주셨다. 이후로 40년 동안 하나님은 기적의 하늘 양식으로 그들을 먹이셨다.

이스라엘 백성은 신광야를 출발하여 르비딤에 이르러 장막을 쳤으나 마실 물이 없어 다시 모세를 원망했다. 모세의 기도를 들으신 하나님이 한 반석을 가리키셨고, 모세가 지팡이로 반석을 치자 물이 솟아났다. 기갈 문제는 해결되었으나 모세는 그 지역을 맛사와 므리바라고 불렀다. 이스라엘 백성이 감히 "하나님과 다투었다"는 뜻으로 "여호와께서 과연 우리 중에 계신가?" 하는 회의에 빠졌음을 후세 사람들이 기억하게 했다.

하나님이 애굽의 신들을 징벌하신 열 가지 기적을 통해 430년 동안의 종살이에서 벗어났던 그들이 한낱 먹고 마시는 문제 때문에 하나님을 시험한 것은 부끄러운 일이었다. 기적의 음식과 기적의 생수를 마셨지만 그들은 변하지 않았다.

그들 앞에 아말렉이 나타났다. 아말렉은 이스라엘 백성이 최초로 맞이한 적이었다. 모세가 여호수아에게 전투 명령을 내렸다. 여호수아는 칼을 잡고 모세는 지팡이를 잡았다. 여호수아는 백성을 이끌고, 모세는 아론과 훌을 데리고 각각 평지와 산정으로 옮겼다. 그가 서 있던 곳은 산이라기보다는 야트막한 언덕(해발 220m)이었다. 모세 역시 이스라엘을 위한 첫 기도를 드렸고, 하나님의 위대한 이름 중 하나인 여호와 닛시가 처음 언급되었다.

전쟁은 지구전이 되었다. 하루 종일 싸워도 승패가 갈리지 않았다. 여호수아는 힘을 다해 싸웠지만 도저히 승기를 잡을 수 없었다. 전선의 병사들이 알 수 없는 승패의 요인은 후방에 있었다. 모세는 언덕 위에서 전투 현장을 지켜보면서 지팡이를 하늘 높이 들어 올렸다. 그러자 이스라엘 군대가 아말렉 군대를 밀어붙였다. 거의 끝나 갈 즈음에 피곤한 모세의 팔이 내려오자 아말렉 군대의 반격이 시작되었다. 모세가 팔을 올리면 이기고 팔을 내리면 적에게 쫓겼다. 마침 곁에 있던 아론과 훌이 모세를 편히 앉게 하고는 지친 그의 팔을 붙들어 주었다. 해가 지기까지 모세의 팔은 높이 들려졌고 이에 여호수아는 아말렉 군대를 격파했다.

전쟁을 승리로 이끄신 하나님은 모세에게 이 최초의 전쟁을 기록하게 하셨다. 그리고 아말렉을 지우개로 지우듯 말끔이 소탕하여 천하에서 기억되지 않게 할 것을 천명하셨다.

여호와는 나의 깃발

이 전쟁 이후로 아말렉은 이스라엘을 끊임없이 괴롭혔다. 이스라엘 백성이 가나안에 이르기까지 싸워야 했던 대적은 아말렉 외에도 많았다. 모압과 암몬, 바산과 아모리와도 전쟁을 치렀고, 가나안 정복전쟁 막바지에는 요단 강을 사이에 두고 33개국과 싸움을 했다. 그런데 하나님은 아말렉의 이름을 거명하면서까지 도말 의지를 불태우셨다. 왜 그러셨을까? 아말렉은 이스라엘의 철천지원수였다. 하나님은 스스로 도말 의지를 천명하셨을 뿐 아니라 그 사명을 이스라엘 백성에게 위임하셨다.

> 너희는 애굽에서 나오는 길에 아말렉이 네게 행한 일을 기억하라 곧 그들이 너를 길에서 만나 네가 피곤할 때에 네 뒤에 떨어진 약한 자들을 쳤고 하나님을 두려워하지 아니하였느니라 그러므로 네 하나님 여호와께서 네게 기업으로 주어 차지하게 하시는 땅에서 네 하나님 여호와께서 사방에 있는 모든 적군으로부터 네게 안식을 주실 때에 너는 천하에서 아말렉에 대한 기억을 지워 버리라 너는 잊지 말지니라(신 25:17-19)

이때 이후로 이스라엘은 아말렉과 중요한 전쟁을 치렀다. 이스라엘이 불안정한 사사 시대를 끝내고 국가의 기틀을 갖추자마자 사울 왕이 21만 대군으로 아말렉을 쳤다. 사울 왕이 하나님 말씀에 순종했다면 아말렉은 역사에서 아주 사라졌을 것이다. 사울 왕은 아각 왕도 살리고 살진 짐승들도 남겨 두었다. 멸망 직전까지 갔던 아말렉의 잔당들은 이집트로 피신했다.

그렇게 수십 년의 세월이 흐르고 다윗이 블레셋의 아기스 왕에게 잠시 몸을 의탁하고 있을 때 아말렉에 큰 피해를 입힌 적이 있었다. 다윗과 그의 부하 600명이 아기스 왕의 부름을 받고 출전한 틈을 타서 보복할 기회를 노리던 아말렉 군대가 급습하여 시글락을 불태우고 노소를 불문하고 여자들과 거기 있던 사람들을 사로잡아 갔다. 이때 다윗이 그들을 추격하여 도주한 소년 병사 400명을 제외하고는 모조리 소탕해 버렸다.

히스기야 왕 때 시므온 자손 500명이 세일 산에 은거하고 있던 아말렉 잔당을 쳤다. 바사의 아하수에로가 제국을 통치할 때 아말렉 사람 아각의 아들 하만이 나무에 매달림으로 아말렉 족속은 지구상에서 영원히 자취를 감추고 말았다.

모세는 자신들에게 승리를 주신 하나님께 제사를 드리고 그곳 이름을 여호와 닛시라 불렀다. '여호와는 나의 깃발'이란 뜻이다. 모세는 첫 승리를 시발점으로 여호와가 이스라엘을 위해 계속 싸워 주실 것을 믿음으로 기대했다.

르비딤 전투에서의 승리는 1차적으로 여호수아의 군사적 승리였다. 다시 들여다보면 그것은 아론과 훌의 도움으로 모세가 드린 중보기도의 승리였다. 더 깊이 들여다보면 그것은 여호와 하나님의 승리였다. 아말렉과의 첫 전투는 하나님께 속한 싸움이었다. 하나님은 대대로 아말렉과 싸우실 것이었다. 르비딤만이 아니라 앞으로 치르게 될 모든 전쟁의 총사령관은 용사 중의 용사이신 하나님이었다.

모세와 여호수아는 깃대에 불과했다. 깃대가 부러지면 깃발이 나부낄 수 없다. 그들이 기도(모세의 지팡이)와 말씀(여호수아의 칼)으로 하나가 되었을 때 전선 한복판에 깃대가 세워졌고, 하나님은 그 깃대에 달린 깃발이 되어 주셨다. 그것은 싸우는 병사들에게 싸움의 의지를 일으켜 주는 군기였다. 하나님의 군기가 펄럭이는 전쟁터에서 아무리 호전적인 아말렉 군대라 해도 이길 방법이 없었다.

여호와 닛시의 법칙은 승리를 위해서는 기도와 삶이 일치해야 함을 보여 준다. 여호수아의 손에는 창검이 들려졌고 모세의 손에는 기도의 불칼이 쥐어졌다. 첫 번째 맞이한 실전에서 여호수아는 기도의 위력을 실감했다. 그것은 기도의 능력이면서 그 기도를 들어주신 하나님의 능력이었다. 그래서 여호수아의 깃발도 모세의 깃발도 아닌 여호와의 깃발이 휘날렸다.

여호와 닛시는 르비딤 전쟁이 끝난 후에 찍은 마침표가 아니었다. 출발을 알리는 수기(手旗)였다. 아말렉과의 전쟁은 다윗 시대를 거쳐 히스기야까지 이어졌다. 아말렉의 마지막 씨앗은 바사의 총리를 지냈던 하만의 죽음으로 비로소 멸절되었다.

주님이 십자가에서 벌이신 사탄과의 일전은 끝이 났다. 그럼에도 영적 전쟁은 세상 끝 날까지 지속된다. 전쟁은 끝났으나 전투는 계속된다. 우리는 치열한 전투의 현장에 투입된 군사들이다. 보통 군사들이 아니라 특수 훈련을 받은 소수의 정예들(a few good man: 미 해병대에서 사병을 모집할 때 쓰는 슬로건으로 그 역사가 200년이 훨씬 넘음)이다. 주님의 용사들이다. 하나님이 우리를 위해 싸우실 것이다. 우리는 하나님의 깃발이 나부낄 깃대가 될 것이다. 하나님 손에 들린 창검이 되고 총과 미사일이 되어야 한다.

모든 나라에는 국기가 있다. 국경일이 되면 관공서나 가정집에 국기를 단다. 올림픽이 열릴 때마다 개회식과 폐회식 때 각국 선수단은 자국의 국기를 앞세우고 등장한다. 메달을 땄을 때는 소속 국가의 국기가 게양되면서 국가가 연주된다. 여호와 닛시는 하늘 군대의 군기이며 천국 시민의 국기이다. 모세가 능력의 지팡이를 하늘 높이 쳐들었을 때 그것은 작은 깃발이었고, 여호수아가 손에 든 창칼을 높이 들었을 때 그것 역시 작은 깃발이었다.

오늘 우리에게 있어 영원히 도말해야 할 아말렉은 누구이며 어디에 숨어 있는가? 마약, 도박, 포르노, 우울증, 고독과 절망, 분쟁과 다툼, 암, 파산…. 우리가 아무리 채워도 다 채울 수 없는 아말렉 군대의 싸움꾼들이 우리를 에워싸고 있다. 손에 잡은 창검을 놓지 말고 진군해야 한다. 높이 쳐든 지팡이를 내리지 말고 부르짖어야 한다. 여호와 닛시! 하나님의 깃발이 우리 주변에 펄럭인다.

엘리사는 도단 성에 갇혔지만 하나님의 깃발을 나부끼면서 아람 군대를 포위한 하늘 군대를 보고 태연해했다. 아무리 힘들고 불가능한 싸움의 현장에 처해도 바로 그 싸움이 하나님을 위한, 하나님에 의한, 하나님의 싸움임을 잊지 말아야 한다. 르비딤은 '안식'이란 뜻이다. 안식은 긴 싸움 끝에 얻는 휴식이다. 지금은 싸울 때다. 싸워서 이긴 승리의 여유로 쉬면서 우리의 르비딤을 르비딤 되게 해야 한다.

❺ 에스골의 법칙 – 믿음 안에서 꿈을 키워야 승리한다

여호수아는 가나안 진격작전에 앞서 정탐 활동을 벌이기로 했다. 이스라엘 열두 지파에서 족장 한 사람씩 소집해서 그들을 가나안에 비밀리에 침투시켰다. 40일 동안 가나안 전역을 돌면서 그 땅과 백성을 세밀하게 살피게 했다. 원주민이 강한지 약한지, 땅이 좋은지 나쁜지, 성읍이 진영인지 산성인지, 토지가 비옥한지 투박한지, 수목이 있는지 없는지를 살피고 열매를 견본으로 가져올 것까지 명했다.

정탐꾼들은 적정 탐색을 하는 과정에서 에스골에 이르러 견본용 열매를 발견했다. 계절이 포도수확기였기에 포도 한 송이 달린 가지를 꺾어서 두 사람이 막대기에 꿰어 메고 왔다. 그 두 사람이 여호수아와 갈렙은 아니었을까? 그들은 무화과와 석류도 함께 가져왔다. 신명기 8장 8절을 보면 포도와 무화과와 석류는 밀과 보리와 감람나무와 꿀과 함께 가나안의 7대 축복 식물로 소개된다. 포도 한 송이를 두 사람이 메었다는 것은 그 열매가 얼마나 탐스러웠는지를 짐작하게 한다.

"포도 한 송이 달린 가지"를 보통 사람들이 이해하는 대로 단지 한 송이(a single cluster of grapes)로 봐야 하는지 아니면 포도가 여럿 달린 한 가지(a vine-branch with grapes)로 합리적인 해석을 해야 하는지는 중요하지 않다. "포도 한 송이 달린 가지"라는 표현은 에스골 골짜기의 풍요를 강조한다. 그것으로 족하다. 에스골은 겨울철의 우기(보통 10월에서 다음 해 4월까지)가 되면 많은 비로 인해 개울이 형성되고, 그 풍부한 수량은 건기에도 과일나무가 자라기에 넉넉한 물을 제공했다. 이 골짜기의 지역이 포도 산지로 유명해서 지명을 아예 '포도송이'란 뜻의 에스골로 불렀을 것이다.

정탐꾼들의 초기 보고는 긍정적이었다. 땅은 기름지고 열매는 풍성했다. 그러나 원주민에 대한 보고에서 다수의 부정파와 소수의 긍정파로 나뉘었다. 결과적으로 열 정탐꾼의 부정적인 보고가 알려지면서 낙심의 기운이 이스라엘 회중에게로 급속히 퍼져 나갔다. 일파만파로 번진 열 정탐꾼의 탐색 보고는 이스라엘의 마음을 얼어붙게 만들었고 전진을 포기하게 했다.

헤브론 북쪽 3마일 지점에 위치한 에스골은 아브라함의 생애에서 기념할 만한 장소였다. 아브라함이 조카 롯을 구원하기 위해 소돔 왕을 중심으로 한 5개 연합국을 도와서 그돌라오멜 왕이 주축이 된 4개 동맹군과 싸움을 벌였을 때의 일이다. 1차 전쟁은 4개 동맹국의 승리로 끝났다. 엘람의 그돌라오멜 왕은 노획물을 나누고 각자의 나라로 발길을 돌렸다. 군세가 약해진 틈을 노리던 아브라함은 에스골의 두 형제와 맹약하고 회군 중이던 그들을 일제히 기습했다. 패주하는 그들을 쫓아 다메섹까지 추격전을 벌인 끝에 포로로 끌려가던 조카 롯의 일행과 약탈물을 고스란히 되찾았다.

에스골 형제의 도움이 있었기에 아브라함은 소수의 가신(家臣)들만으로도 강적을 격파하여 구출 작전을 성공리에 마무리할 수 있었다. 아브라함은 에스골 형제의 협력에 감사하는 표시로 모든 전리품을 소돔 왕에게 넘겨줄 때에 그들 형제의 몫을 챙겨 주었다. 아브라함과 에스골 형제와의 맹약은 약속의 땅에 대한 징표로 여호수아와 갈렙이 메고 왔던 에스골 골짜기의 포도송이를 연상시킨다.

여호수아와 갈렙은 에스골 골짜기에서 꺾어 온 포도송이 하나의 크기를 거인 족속인 아낙보다 크게 여겼다. 열 정탐꾼들이 메뚜기론으로 백성의 사기를 꺾고 있을 때 여호수아는 포도송이의 크기를 보면서 자신이 지닌 꿈의 크기를 결정했다. 구속론적인 맥락에서 이 사건을 이해하자면 여호수아는 한 송이 포도에서 포도원의 주인 되신 하나님, 포도원의 참포도나무 되신 주님을 보았다. 탐스러운 포도송이가 여호수아의 마음에 승리의 씨앗으로 심어진 것이다. 포도나무에 열매가 익자 열매를 따 먹었으니 33개 나라의 왕을 이긴 것은 33개의 포도 알을 삼킨 것과 같았다.

열 정탐꾼들은 꿈도 약속도 희미해진 눈길로 한 송이의 포도보다 아낙 자손과 높은 산성을 더 크게 보았다. 부정적인 사고에 길들여진 다수는 자신들이 긍정했던 땅의 아름다움을 잊어버리고, 거민들을 삼키는 땅이라며 악평했다. 그러나 여호수아와 갈렙의 눈에는 미지의 땅이 여전히 기름지고 아름다운 곳으로 남아 있었다. 믿음 안에서 꿈을 키운 여호수아의 눈에는 거인 족속에 비해 자신들이 메뚜기인 것이 아니라, 그들이 오히려 먹잇감이었다.

남은 자는 소수다

에스골의 법칙은 믿음 안에서 꿈을 키워야 함을 보여 준다. 에스골 골짜기에서 위협을 무릅쓰고 메고 온 포도송이는 그들이 장차 취하게 될 꿈의 열매였다. 포도송이 하나에서 포도 산지만이 아니라 그 땅 전체를 품는 꿈을 꾼 것이다.

미국에서는 집을 구입할 때 금융 기관에서 융자를 얻어 본인이 10% 정도만 지불하면 된다. 융자금의 상환은 짧게는 5년에서 길게는 30년까지 가능하다. 구입을 조건으로 먼저 내는 돈을 다운 페이먼트(down payment)라고 한다. 포도송이는 젖과 꿀이 흐르는 땅에 대한 다운 페이먼트였다. 포도송이에서 땅을 보지 못하면 장벽만이 눈에 어른거린다. 그러나 포도송이 한 알 한 알에서 그 땅의 곳곳을 들여다볼 수 있는 사람 눈에는 아무리 거대한 장벽도 장벽이 아니며, 약속의 땅으로 이끄는 징검다리에 불과하다.

포도나무는 이스라엘에 대한 상징이기도 했다. 포도나무의 존재 이유는 열매인 포도송이에 있다. 열매를 맺지 못하는 포도나무는 가구나 건축 재료로도 사용할 수 없고 화목용으로만 쓰일 뿐이다. 하나님은 여러 민족 가운데 이스라엘(포도나무)을 선택하셨지만 그들은 포도송이를 맺지 못했다. 심판의 불에 던져질 수밖에 없었다. 이스라엘 백성은 열 정탐꾼들에게 마음이 기울어 약속이 이루어지기 단 몇 발자국 전에 멈춰 섰다. 하나님이 능히 그들을 가나안 땅으로 인도해 주실 텐데, 그들은 말하기를 능히 들어가지 못할 것이라고 했다.

꿈이 죽으면 말까지 죽는다. 믿음이 사라지면 약속의 말씀도 사라진다. 그들은 자신들의 마음에 따라 생각했고 생각의 결과가 "불가능하다"는 말로 나타났다. 하나님은 그 귀에 들은 대로 행하셨다.

에스골의 포도송이를 외면하면 약속의 땅이 멀어진다. 그것은 40년의 여정 끝에 맞이한 비전의 첫 산물만이 아니었다. 수백만 명의 목숨이 잠든 사막의 과거를 생각한다면 그냥 지나칠 수 없는 새 생명의 씨앗이었다. 430년간의 노예 생활에서 벗어난 선민이 선조의 꿈을 실현하는 감격의 첫 장면이었다. 아낙 자손 정도야 광야에서의 기적을 체험한 그들이 잠시만 돌이켜 봐도 문제 될 것이 없었다. 지금까지의 여정만 살펴도 행진이 중단되었을 때는 자신들의 반역이 있었고 행진이 계속되었을 때는 하나님의 돌보심으로 가득 찼다. 어느 한순간도 하나님의 능력을 떠난 승리는 없었다.

그들은 불신으로 인해 마음에 세워진 사탄의 성채에서 한 발짝도 나오지 못했다. 안으로만 움츠려 드는 사이에 사탄은 그들의 의지와 생각을 마비시켰고 돌이킬 수 없는 변절의 늪에 빠트렸다. 이 글을 쓰면서도 꿈에 그리던 그곳을 밟아 보지 못하고 죽어 간 99.9%의 이스라엘 백성을 생각하면 명치끝이 저려 온다. 열 정탐꾼들의 변심은 너무 무책임하고 부끄러운 처사였다. 꿈을 버린 대가는 가혹했고 그 결과는 무시무시했다. 단지 열 사람이 믿음의 꿈을 포기하고 불신앙의 현실을 붙잡았는데 재앙은 이스라엘 전체에 두루 미쳤다. 20세 이상 된 장정 모두가 파멸의 대상이었다. 누구 한 사람도 예외가 아니었다. 레위인도 제사장도 동일한 운명이었다.

모세의 지도권을 거부하고 자신들의 장관을 세워 다시 애굽으로 돌아가려고 했던 이스라엘의 시도를 하나님이 막으셨다. 뻔뻔한 백성의 반역에 하나님의 인내도 한계점에 이르렀다. 하나님은 그들을 모조리 전염병으로 버리고 그들보다 크고 강한 나라를 모세에게 주실 뜻을 보이셨다. 모세의 중보가 없었다면 이스라엘의 역사는 거기서 멈췄을 것이다. 모세의 진심 어린 간구에 하나님은 뜻을 돌이키셨고 그들의 죄를 사하셨다. 죄는 용서하셨지만 약속의 땅에는 출입 금지를 명하셨다. 열 번이나 하나님을 시험하고 불순종의 길을 고집했던 그들이 뿌린 씨를 그대로 거둘 수밖에 없었다.

다수가 약속을 외면했어도 하나님의 말씀을 붙든 지극히 적은 소수에게 약속의 땅은 여전히 유효했다. 여호수아와 갈렙 두 사람이 약속의 땅에 발을 디뎠다. 청함 받은 자는 많았지만 택함 받은 사람은 너무 적었다. 남은 자는 너무 소수였다. 강풍에 무화과나무 열매가 다 떨어지고 뎅그러니 두 개만 남은 모습이었다. 원인은 다르지만 모세와 아론마저 약속의 땅을 목전에 두고 눈을 감아야 했다.

하나님은 하루를 일 년으로 환산하여 40일 탐색 기간에 따라 백성들로 하여금 40년을 광야에서 방황하게 만드셨다. 빠른 걸음으로는 일주일, 넉넉히 열흘에서 2주면 당도할 수 있었던 목적지를 40년이나 빙빙 돌아야 했다. 그들의 매장지는 약속의 땅이 아니라 사막이었다. 하나님의 신실함이 그들을 노예로 묻힐 애굽 땅에서 이끌어 내셨는데, 그들의 불신이 약속의 땅에 매장될 특권을 앗아 갔다.

여호수아와 갈렙의 입장에서 40년은 잃어버린 세월이었다. 생애의 거의 절반을 꿈을 잃은 사람들이 죽기를 기다리면서 친구와 이웃의 시신을 묻는 일로 보내야 했다. 40년의 기간마저도 회복의 걸음은 적고 백성의 고질적인 원망과 불평만이 언덕의 모래 더미처럼 쌓여 갔다.

참으로 잃어버리는 것은 세월이요 남는 것은 모래 더미 속에 묻히는 시신의 숫자였다. 모세는 그날의 일을 아픈 기억으로 담고 있었다.

4장

강한 용사여,
날마다 승리하라

나는 선한 싸움을 싸우고
나의 달려갈 길을 마치고
믿음을 지켰으니
딤후 4:7

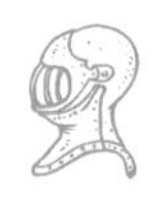

승리의 길은 멀고 험하다. 위대한 승리일수록 싸움은 끈질기고 힘들다. 정상을 눈앞에 둔 산악인들의 마지막 짧은 공간적 거리는 지상에서 느낄 수 있는 가장 멀고 긴 시간으로 감지된다. 정도를 벗어나면 지름길이 곧 먼 길이다. 얼마나 많은 크레바스(빙하의 표면에 쪼개진 틈–편집자 주)와 실족의 위험이 있는 거짓 길이 우리 앞에 놓였는가? 항로에서 벗어나면 승리의 길은 요원하다. 정상에 서려면 바른길에 서야 한다. 정도(正道)에 서야 정로(正路)가 보인다. 가는 길이 아무리 멀고 험해도 바른길에 서면 승리의 깃발이 보인다. 영적 싸움에서 승리를 추구하는 모든 그리스도인은 반드시 성채를 허물고 죄책감에서 벗어나 싸움에서 이겨야 한다.

적장을 사로잡으려면 성채를 허물어야 한다. 아군의 영토 내에 깊이 뿌리내린 적의 비밀 루트를 파헤쳐야 한다. 성채를 허물면 강적도 모래알처럼 흩어진다. 적의 성채를 견고히 하는 것은 적의 강한 수비가 아니다. 우리가 공격력을 잃는 것이 적의 성채를 높이 세우게 한다.

죄책감은 그리스도인을 무력하게 만든다. 말씀 적용에 확신을 주지 못하고 기도에 주눅 들게 만든다. 죄책감은 표범의 얼룩점처럼 지워지지 않는다. 죄책감을 지우는 길은 오직 죄의 박멸에 있다. 죄를 이겨야 죄책감에서 벗어난다. 먹보다 더 검고 진홍같이 붉은 죄를 깨끗하게 하는 것은 그리스도의 보혈이 지닌 용서의 능력이다. 용서는 마치 표백제와 같다. 죄책감에서 영원히 벗어나려면 용서를 확신하고 용서의 은혜 안에 계속 머물러야 한다. 위로부터 임한 하나님의 용서에는 만료 시한이 없다. 그리스도가 십자가에서 이루신 용서의 은혜는 영원하다.

용사의 길은 오직 승리에 있다. 승리의 길에 굳게 섰으면 용사의 승전보를 가만히 기다리지 말고 스스로 용사의 길을 터야 한다. 버금 수레에 올라 승전의 퍼레이드를 하기 전에 맥관(脈管: 혈관이나 림프관을 통칭함)을 씹으며 달리는 말에 올라야 한다. 명마는 숨이 목에 차오르는 순간에 맥관을 씹어 호흡을 돕는다. 싸우지 않으면 승리의 영광은 도래하지 않는다.

군사들이 불리한 싸움에 모두 물러가도 용사는 싸움을 돋운다. 다윗의 용사 삼마는 백성이 블레셋 사람 앞에서 모두 도망할 때 녹두나무가 우거진 밭 가운데 서서 그들을 막았다. 용사 엘르아살은 손이 피곤하여 칼에 붙기까지 블레셋 사람을 쳤다. 승리를 움켜쥐려는 용사에게는 아무런 두려움이 없다. 죽기까지 싸워 쟁취한 값비싼 승리는 용사의 존재 이유다. 승리의 길을 위해 용사는 먼저 자신을 점검하고 전투에 임해야 한다. 성채를 허물고 죄책감에서 벗어나는 것은 점검에 속한 문제이며, 싸움에 이기는 것은 전투의 최종 목적이다.

마음에 세워진 적의 성채를 허물라

성채(城砦, citadel)란 군사시설로서 원래 적의 침공으로부터 성 안의 거주민을 보호하기 위해 세운 방어용 구조물(fortress)이다. 요충지에 세워진 이 요새(stronghold)는 튼튼하여 쉽게 무너지지 않는다. 모든 사람의 내면에도 적이 구축한 성채가 자리 잡고 있다. 원수 마귀는 인간의 영혼을 파멸로 이끌기 위해 마음의 요처에 견고한 진을 세운다. 험지에 세워진 산성보다 취하기 어려운 것이 보이지 않는 마음의 성채다. 분노의 성채, 욕망의 성채, 거짓과 불신의 성채 등이다. 성채의 설계자는 사탄이지만 성채를 세우는 장본인은 각자 자신이다. 어떻게 이런 기막힌 일이 생겨나는 것일까?

사람이 거짓을 사실로 받아들이고, 잘못된 사고 체계를 형성하면 이로 인해 성채라는 적의 진영이 마음에 세워진다. '이제 하나님은 더 이상 널 사랑하지 않아!'라는 사기에 걸려들거나 옛 죄의 참소로 인해 자신이 더러운 죄인이라고 느낄 때 성채는 사탄이 닦아 놓은 거짓의 터전 위에 세워진다. 마음의 성채는 무척 강할 수도 있고 환영처럼 아무것도 아닐 수도 있다. 그것은 거짓에 대한 나의 반응에 전적으로 달려 있다. 성채가 거짓을 받아먹어 살찐 것이라면 진리로 배불리면 된다. 말씀을 먹어야 한다. 거짓의 간식을 버리고 진리의 만찬을 즐겨라! 거짓의 아성을 허무는 길은 하나님의 말씀인 진리뿐이다.

성채를 허무는 데는 성령의 검을 사용한다. 능력의 칼로 성채를 무너트리고 적군들을 죽인다. 사탄은 중요 자산으로 성채를 사용해 우리를 무너트린다. 그것은 악의 온상으로서 성령의 역사가 우리의 내면

깊숙이 스며드는 것을 차단한다. 그러면서 암세포처럼 고귀한 영혼을 야금야금 갉아먹는다. 성채를 철저히 파괴해야 한다. 두루 도는 화염검을 휘두르고 철장으로 내리쳐야 한다. 지금 당장 성령의 검으로 사탄의 은거지를 때려 부숴야 한다.

성채가 세워지면 하나님의 뜻을 분별하기 힘들고 행하기는 더 어렵다. 성채가 하는 일은 단단한 벽이 되어 신자의 마음에 하나님의 최선을 가로막는 생각을 심는 것이다. 가장 전형적인 예는 사람들로 하여금 하나님을 무서워해서 그분의 사랑과 현존을 느끼는 데 어렵게 만든다. 하나님을 엄한 주인으로 여기고 마음의 벽을 높이 쌓게 한다. 자연히 하나님과 친밀한 관계를 맺지 못하고, 하나님의 사랑과 현존을 느끼지 못한다.

하나님에 대한 잘못된 인식이 삶에 절실한 하나님의 사랑과 현존의 능력을 앗아 간다. 나아가 하나님의 참된 모습을 왜곡시켜서 잔인하고 무서운 분으로 각인시킨다. 마음의 은밀한 죄를 모두에게 고백하기 전에는 두려움과 죄책감에 시달리도록 만든다. 죄를 하나님께만 고하면 될 일이지 왜 사람을 염두에 두게 하는 것일까? 아무리 많은 사람에게 자신의 죄를 고백한다 해도 세상에는 고백을 듣지 못한 사람들이 꼭 남는다. 모든 사람에게 죄를 고백하기란 현실적으로 불가능하며 불필요한 일이다. 이것은 무모하고 어리석기까지 하다. 하지 않아도 될 일에 사로잡혀 고통 당하고 시간만 낭비할 뿐이다.

두 개의 가공할 만한 성채가 있다. 첫째는 공포감으로, 하나님에 대한 부정확한 상을 가져서 건강하지 못한 두려움에 쌓이게 한다. 건강한 두려움인 경건도 있지만 원수가 우리에게 심어 주는 거짓된 두려움인 공포도 있다. 공포감은 하나님을 잔인하고 냉혹하고 멀리 있고 돌보지도 않으면서 조금만 선을 넘으면 채찍을 가하시는 분으로 생각하게 만든다. 용서받지 못할 죄를 짓고 회개하지 않아 두려움을 느끼는 사람은 모두 이 성채를 갖고 있다. 성채 안에 갇혀 있다. 자신의 삶에서 하나님의 사랑과 현존이 느껴지지 않거나 하나님이 냉혹하고 멀게 느껴진다면 내 안에 강력한 성채가 있다는 증거다. 이를 반드시 깨트려야 한다.

둘째로, 자존감의 부재다. 그리스도 안에 있지만 자존감이 없어서 고통을 겪는다. 그리스도가 이루신 일을 이해하지 못하며 그것이 어떻게 자신의 삶에 적용되어 역사하는지 알지 못한다. 용서받지 못한 죄에 대한 죄책감, 낮은 영적 자존감(성도가 아니라 여전히 죄인이라는 생각)으로 고통 받는다. 예수 안에서의 영적인 확신이 결여되어 있다. 주님의 말씀에 거하면 요새가 깨져 자유롭게 되리라(요 8:31-34)는 말씀이 있는데도 자신을 영적으로 무기력하고 무가치하게 여긴다. 그래서 삶에서 주님으로 인한 기쁨 또한 부족하다.

사탄은 뭔가를 신자들의 생각에 집어넣기를 좋아한다. 하나님보다 마귀가 속삭이는 소리를 더 좋아하는 생각은(묵상의 경우도 마찬가지다) 자신을 속박에 묶어 버리는 성채를 만든다. 과거의 죄를 속삭이는 목소리와 과거의 죄는 용서받았다는 목소리 중에서 바른 쪽을 택해야 한다. 어느 하나를 취하면 나머지는 나간다. 두 마리의 사자가 싸우는데 한 마리에게만 먹이를 준다면 결국 그 사자가 이긴다. 영적인 세계에서도 마찬가지다. 귀를 기울여 더 많이 듣는 쪽이 이긴다. 마귀의 거짓과 속임에 귀를 기울이면 성채는 더 높이 쌓이고 그럴수록 하나님의 음성을 듣기가 더 어려워진다. 반대의 경우도 그렇다. 진리의 음성에 귀를 기울이면 성채는 무너지고 마귀의 목소리가 비집고 들어올 여지가 없어진다.

생각이 중요하다. 생각이 하나님께 머물면 완전한 평화가 머문다. 자유를 얻고 난 후에도 진리에 무지하면 여전히 속박 가운데 놓인다. 진리의 말씀이 살아 역사하면 성채는 흔적도 없이 사라진다.

성채는 속임(거짓과 잘못된 믿음)으로 태어나고 마귀는 그 안에 거주한다. 치유책은 진리의 말씀에 있다. 원수의 거짓을 하나님의 말씀 안에 있는 진리로써 폭로한다. 우리의 병기는 견고한 진을 파하는 것이다. 하나님의 말씀인 성령의 검이 이 일을 한다. 진리가 거짓을 몰아낸다. 진리는 파괴력이 높다. 원수가 세운 거짓의 성채를 깨트리는 것은 하나님의 말씀이다. 그래서 하나님의 말씀 안에서 자라나는 것이 그토록 중요한 것이다.

하나님의 말씀을 묵상하는 중에 견고한 성은 무너진다. 말씀은 빛이요 거짓은 어둠이다. 어둠은 결단코 빛을 이기지 못한다. 우리가 말씀 안에 거하고 말씀이 우리 안에 거하면 우리의 마음에는 단 한 줄기의 그림자도 존재할 수 없다. 말씀과의 합일을 통해서 우리는 빛의 용사 곧 그리스도의 강한 용사가 된다. 여호수아와 이스라엘 백성이 여리고를 향해 함성을 지르듯 용사들과 더불어 성채(거짓)의 붕괴를 담대히 선포할 수 있다.

죄책감의 습지에서 빠져나오라

많은 신자가 영적 생활에서 패배하는 근본 원인은 죄책감이다. 죄책감의 습지를 거닐며 풀이 죽어 산다. 한 발짝만 옮기면 초원 지대인데 음습한 분위기를 떨쳐 버리지 못한다.

죄책감이란 죄에 대한 책임감이다. 사람이 자신의 죄에 대해 책임을 진다면 영원한 형벌을 피할 길이 없다. 인간은 죄에 대한 책임을 면할 수 없으므로 형벌을 고스란히 받아야 한다. 그리스도가 오시기 전에 모든 인류는 죄책감으로 인해 사망의 형벌 아래 갇혀 있었다. 주님은 인류의 모든 죄를 짊어지시고 십자가에서 죽으심으로 우리 대신 형벌을 받으셨다. 주님이 이미 십자가에서 지옥의 형벌을 받으셨기에 인류가 당해야 할 영원한 형벌은 사라졌다. 죄의 형벌이 무효한 것은 죄에 대한 책임이 사라졌기 때문이다. 그리스도인은 믿음 안에서 죄책감과 형벌로부터 면제된다.

죄책감은 사탄이 우리에게 즐겨 사용하는 무기다. 그것은 우리를 찢기고 무너트리고, 우리가 더럽고 무가치한 존재라고 세뇌시킨다. 우리의 믿음과 그리스도 안에 있는 확신을 빼앗는다. 주님은 우리의 죄를 씻으시고, 모든 죄책감에서 우리를 풀어 주기 위해 오셨다. 주님 안에서 승리의 생활을 맛보려면 죄책감은 과거에 해결되었고, 지금은 양심의 자유함을 얻었음을 반드시 인식해야 한다.

두 개의 죄책감이 있다. 하나는 사람을 회개로 이끄는 경건한 슬픔인 확신으로서 이는 성령에게서 나온다. 회개는 '뉘우치고 고치는 것'이다. 소극적으로 죄에서 돌이켜(방향 전환) 적극적으로 하나님께 돌아서는 것(사상 전환)이다. 사람이 회개하면 영원한 형벌은 면제되고 죄책감이 사라져 사죄의 기쁨으로 가벼워진다.

다른 죄책감은 마귀에게서 나오는 것으로 정죄다. 사탄은 과거의 죄를 들춰내 하나님의 사람들을 괴롭히는 것을 즐긴다. 그들이 사함받은 이후에도 그들 앞에서 그 죄를 흔들어 보인다. 죄책감은 원수에게로 이끄는 문이다. 죄책감을 이기는 방법은 내게 범한 형제의 죄를 용서하는 것이다. 서로 용서해야 한다. 쓴 뿌리는 누구든 무엇이든 상관없이 사람을 더럽게 한다. 영적 오염은 더러운 영들에게 우리의 영혼으로 접근하는 길을 터 준다.

심령의 청결을 늘 유지해야 한다. 스스로 용서하지 못해서 악령의 권세 아래 놓이거나 악령들에게 괴롭힘을 당하는 경우가 많다. 자신이 저지른 잘못을 생각하고 자신을 거기 머물게 하는 한 죄책감은 점점 더 자란다. 원수는 우리의 과거를 들춰내서 우리가 그것을 자주 생각하게 만든다. 우리의 괴로워하는 모습을 보면서 기뻐한다. 우리가 이 덫에 걸리면 원수 마귀가 우리 마음에 요새를 쌓는다. 우리의 싸움이 소극적이면 자신을 죄와 사탄의 공격으로부터 지키지만 적극적이면 적의 성채를 무너트린다. 내 안에 있는 원수의 성채를 부수고 대적의 문을 깨트리는 싸움에 발 벗고 나서야 한다.

죄책감은 율법의 산물이다. 율법의 능력이 무력해지면서 남은 찌꺼기다. 은혜 안에 있는 성도는 죄책감으로부터 자유롭다. 하나님이 명령하시는 것이 율법이라면 하나님이 원하시는 것은 은혜다. 명령을 어기면 정죄가 있고 저주 아래 놓이며 죄책감에 사로잡힌다. 은혜 안에 거하면 용서가 있고 복 아래 놓이며 기쁨으로 넘친다. 죄책감에 사로잡히면 하나님의 은혜를 온전히 누릴 수 없다. 늘 정죄와 용서의 틈바귀에 끼어 옴짝달싹 못한다. 선한 사람도 율법 앞에서는 흠투성이지만 흉악범도 은혜 안에서는 성자로 변한다.

간음 현장에서 잡혀 돌에 맞아 죽을 처지에 놓였던 여인에게 주님은 말씀하셨다.

> 나도 너를 정죄하지 아니하노니 가서 다시는 죄를 범하지 말라(요 8:11)

여인은 죄 사함을 받았기에 죄책감에 사로잡힐 이유가 없었다. 죄책감에서 벗어나는 길은 용서에 대한 확신이다. 사함의 은총을 입고도 죄책감에서 고통 당하는 것은 그리스도의 피를 무력하게 여기는 것과 같다.

은혜는 죄책감을 죽이지만 죄책감은 은혜를 무력하게 만든다. 그리스도가 값비싼 대가를 치르고 마련하신 은혜를 결코 가볍게 여겨서는 안 된다. 모든 것은 은혜에 있다. 은혜의 동기는 하나님의 성품인 긍휼에 있다.

> 우리를 구원하시되 우리가 행한 바 의로운 행위로 말미암지 아니하고 오직 그의 긍휼하심을 따라 중생의 씻음과 성령의 새롭게 하심으로 하셨나니(딛 3:5)

은혜의 원천은 하나님의 일방적인 사랑이다.

이는 그리스도 예수 안에서 우리에게 자비하심으로써 그 은혜의 지극히 풍성함을 오는 여러 세대에 나타내려 하심이라(엡 2:7)

은혜의 목적은 인간 영혼의 구원이다.

너희는 그 은혜에 의하여 믿음으로 말미암아 구원을 받았으니 이것은 너희에게서 난 것이 아니요 하나님의 선물이라 행위에서 난 것이 아니니 이는 누구든지 자랑하지 못하게 함이라(엡 2:8-9)

구원이 무엇이며 구속이 무엇인가? 성경이 정의하는 구속은 죄의 용서다.

이는 그가 사랑하시는 자 안에서 우리에게 거저 주시는바 그의 은혜의 영광을 찬송하게 하려는 것이라 우리는 그리스도 안에서 그의 은혜의 풍성함을 따라 그의 피로 말미암아 속량 곧 죄 사함을 받았느니라(엡 1:6-7)

그러므로 죄책감을 떨쳐 버리지 못하는 것은 구원의 은혜에 이르지 못한 것이다. 죄책감에서 벗어나는 것은 용사가 되기 원하는 모든 그리스도인이 해결해야 할 선결 문제다. 죄책감에서 벗어나면 용사로서 영적 전투의 첫걸음을 뗄 수 있다. 죄책감에서의 자유함으로 마음의 성채를 부수어야 원수의 강한 산성을 취할 수 있다. 여호수아는 이스라엘 진중에 세워졌던 탐욕의 성채를 제거한 후에야 아이 같지 않던 아이 성을 정복할 수 있었다.

담쟁이처럼 하나님과 밀착하라

적을 알고 나를 알면 백전백승이다. 자신과 상대를 살피는 문제는 이미 앞에서 다루었다. 둘 다 알았으면 이제는 이기는 일만 남았다. 그리스도인은 영적 전쟁에서 반드시 승리자가 되어야 한다. 우리의 대장 예수님이 한판 싸움에서 결정적 승리를 얻으셨다. 그것은 영원히 확보된 승리로서 그리스도인이 얻을 모든 승리의 원형이 된다. 승리의 원천은 승리자 그리스도이시다.

우리가 이길 수밖에 없는 또 하나의 이유는 모든 전쟁이 하나님께 속했기 때문이다. 이 사실을 깨달은 다윗은 지려고 해도 질 수 없었다. 물맷돌을 날리기도 전에 이미 승기는 그에게 돌아가 있었다. 영적 무지에서 벗어나고 영적 교만을 버리고 영적 공포를 극복하는 것이 관건이다.

절제해야 한다. 통제할 수 없는 힘은 강하지 못하다. 이기는 사람들의 공통적인 특징 하나는 그들이 혹독할 만큼 자신을 관리한다는 사실이다. 마음과 생각을 다스리고 언행에 제동을 건다.

이기기를 다투는 자마다 모든 일에 절제하나니 그들은 썩을 승리자의 관

을 얻고자 하되 우리는 썩지 아니할 것을 얻고자 하노라(고전 9:25)

바울은 경기장에서 달음박질하는 선수들을 염두에 두고 절제를 언급했다. 운동선수는 보통 사람들에 비해 운동량이 많다. 특히 경기가 다가오면 음식에서부터 수면에 이르기까지 모든 일에 절제하면서 강훈련에 돌입한다. 그들이 목표로 하는 월계관과 챔피언 벨트는 그리스도인이 목표로 하는 면류관을 상징한다. 월계관은 마르고 벨트는 녹슬어도 천국의 면류관은 날이 갈수록 영광의 빛을 더한다.

하나님의 긍휼을 의지해야 한다. 하나님의 배려가 절실하다. 누구나 이기기를 원하지만 모든 사람이 이길 수는 없다. 승리자는 늘 소수다. 영적 전쟁에서 이기려면 먼저 하나님의 긍휼을 힘입고, 그 자신이 긍휼의 그릇이 되어야 한다.

그런즉 원하는 자로 말미암음도 아니요 달음박질하는 자로 말미암음도 아니요 오직 긍휼히 여기시는 하나님으로 말미암음이니라(롬 9:16)

무슨 말인가? 하나님은 야곱의 손을 들어 주시고 에서를 외면하셨다. 모세의 손을 붙드시고 바로의 마음을 강퍅하게 하셨다.

야곱의 일생은 승리를 위한 싸움으로 가득했다. 모태에서부터 선두주자가 되기 위한 발길질을 했고 간교함으로 형 에서의 선두권을 빼앗았다. 야곱은 20년의 피난살이를 통해 외삼촌 라반의 양 떼를 차지하고 큰 부자가 되었다. 야곱은 패배자가 되어 고향을 등져야 했던 치욕

스러운 밤을 떠올리며 금의환향 길에 올랐다. 그를 가로막고 나선 것은 졸지에 장자권을 상실한 형 에서였다. 답답한 마음에 야곱은 얍복 나루터에 엎드렸다. 그 밤에 잊을 수 없는 한판 씨름을 통해 야곱은 지고도 이기며 이기고도 지는 싸움의 법칙을 터득했다. 천사와의 힘겨루기에서 분명히 이겼지만 그의 영혼은 강하신 하나님께 붙들렸다. 그의 환도뼈는 골절되었다. 여생을 절뚝이며 살아간 야곱에게 그것은 훈장과도 같았다. 그런 야곱에게 하나님은 승리자의 이름, 이스라엘을 하사하셨다. 하나님이 그의 팔을 높이 드시는 순간이었다.

야곱과 에서의 운명을 가른 것은 하나님의 긍휼이었다. 그 긍휼이 한쪽에는 사랑으로, 다른 쪽에는 미움으로 구체화되었다. 영적 전쟁에서 원수를 이기려면 적을 향한 불타는 증오심보다 나 자신을 향한 하나님의 끝없는 긍휼을 구해야 한다. 그것이 승리의 비결이다.

확신의 기도를 드려야 한다. 기도가 영적 전쟁에서 강력한 무기인 것을 우리는 안다. 그런데 어떤 사람은 기도의 무기를 잘 활용해서 승리의 노래를 부르는가 하면 어떤 사람은 기도의 무기를 사용했음에도 패배자로 머문다. 차이가 무엇일까? 바로 기도에 확신이 있는가의 여부다. 하나님을 전적으로 의지하는 마음이 없으면 확신이 생기지 않는다. 확신은 내가 갖고 싶다고 해서 갖는 것이 아니다. 담벼락에 착 달라붙어 자라는 넝쿨처럼 하나님께 밀착해야 한다. 확신은 친밀함의 열매다. 히스기야는 우리에게 확신의 모범을 보였다.

히스기야가 이스라엘 하나님 여호와를 의지하였는데 그의 전후 유다 여러 왕 중에 그러한 자가 없었으니 곧 그가 여호와께 연합하여 그에게서 떠나지 아니하고 여호와께서 모세에게 명령하신 계명을 지켰더라(왕하 18:5-6)

그는 확신의 사람이었다. 나라가 위급할 때나 자신의 문제 앞에서 확신으로 무릎 꿇었다. 하나님은 그를 승리자로 삼아 주셨다. 그 결과는 놀라웠다.

여호와께서 그와 함께하시매 그가 어디로 가든지 형통하였더라 저가 앗수르 왕을 배반하고 섬기지 아니하였고 그가 블레셋 사람들을 쳐서 가사와 그 사방에 이르고 망대에서부터 견고한 성까지 이르렀더라(왕하 18:7-8)

기도의 핵심은 기도의 양이나 오랜 시간에 있지 않다. 더 중요한 것은 기도에 실린 확신의 강도다. 확신이 강하면 기도도 강하다. 영적 전쟁에서 확신에 찬 기도는 적을 제압하고도 남는다. 확신은 밀어붙이는 힘으로 주저함을 내동댕이친다. 미루적거리면 원수의 밥이 된다.

요단 동편의 기름진 땅을 차지한 르우벤 자손과 갓 지파와 므낫세 반 지파의 용사들은 전투 현장에서 창검보다 하나님을 더욱 신뢰했다. 하나님을 의지하여 부르짖음으로 값비싼 승리를 얻었다.

선한 의지를 붙들어야 한다. 외부의 적을 제압하고 난 뒤에 내부에서 적을 맞이할 때야말로 가장 힘든 순간이다.

다윗에게 사울은 고마운 존재였다. 다윗을 사위로 삼아 측근에 두면서 다윗의 다윗 됨을 드러나게 만든 장본인이 바로 사울이었다. 그런데 사울이 변했다. 최고의 후원자였던 사울이 최악의 적대자로 돌변해 버렸다. 사울은 동원할 수 있는 모든 악을 다하여 다윗을 제거하려고 했다. 사람이 어떻게 그럴 수 있을까 싶을 정도로 그의 집념은 끈질겼고 방법은 악랄했다. 그런 사울을 다윗은 선대했다. 악을 악으로 갚지 않았다. 결국 다윗은 이긴 자가 되었다.

최악의 순간에 가장 악랄한 적과 마주쳐도 그리스도인의 승리 전략은 선으로 악을 이기는 것이다. 영적 전쟁에서 원수 마귀를 대할 때도 악에 북받쳐서는 곤란하다. 독기로 독기를 이길 수는 없다. 하나님이 사탄을 진멸하시기가 그렇게 어려운 것일까? 방도가 없어서 인류 역사의 종말까지 기다리시는가? 결코 아니다. 하나님은 선한 의지로, 그분만의 방식대로 사탄을 다루신다. 미가엘 천사는 모세의 시체를 앞에 두고 다툴 때 중상하는 비난을 퍼붓지 않았다. 주님이 마귀를 책망하시기만 원했을 뿐이다.

나가는 글

이사야는 맹수와 가축이 어울리며 어린아이와 독사가 함께 놀 메시아의 왕국을 동경했다. 그는 평화의 나라를 꿈꾸었다.

> 무리가 그들의 칼을 쳐서 보습을 만들고 그들의 창을 쳐서 낫을 만들 것이며 이 나라와 저 나라가 다시는 칼을 들고 서로 치지 아니하며 다시는 전쟁을 연습하지 아니하리라(사 2:4)

우리도 동경하고 꿈꾸는 그날과 그 나라가 있다. 그날이 오면 우리 모두 하나님 손의 아름다운 면류관이 되고 하나님 손의 왕관이 될 것이다. 그날이 오면 세상에 버림 받았던 우리가 하나님의 기쁨으로 채워진 헵시바가 될 것이다. 그날이 오면 황무했던 땅은 새롭게 되어 결혼한 여자인 쁄라의 모습을 하게 될 것이다. 그날이 오면 총탄을 녹여 농기구를 만들고 대포를 녹여 제단의 십자가로 장식할 것이다. 죽은 자들의 피에 취했던 땅은 새롭게 되어 에덴의 영광을 회복할 것이다. 용사의 창검은 깊은 바다 속에 묻고 피에 젖은 갑옷은 하늘 벽장에 걸어

둘 것이다.

우리가 싸우는 것은 인류의 가슴에서 영원히 싸움을 없애기 위함이다. 우리가 피를 흘리면서까지 싸우려고 하는 것은 한 영혼의 가치가 너무 귀하기 때문이다. 우리가 전의를 불태우는 것은 원수에 대한 증오가 가슴에 쌓였기 때문이다.

우리는 주님의 용사다. 용사 중의 용사다. 영적 전쟁의 선봉에 섰던 싸움꾼들이다. 아직도 우리는 싸운다. 세상에 전쟁이 그치지 않기 때문이다. 깨트릴 성채가 아직 우리 안에 있고 정복해야 할 산성이 여전히 저 높은 곳에 있다. 펄럭이는 하늘의 깃발이 되고 달리는 한 필의 말이 되어 아무도 정복하지 못했던 산성에 당도하리라. 말씀 사역을 위한 예리한 검이 되고 추수 사역을 위한 예리한 낫이 되어 설익은 영혼을 베고 익은 곡식을 거두리라. 하늘의 비를 내리고 또한 비를 그치게 하는 엘리야의 손바닥만한 구름 한 조각이 되고 노아의 무지개가 되리라.

그래서 기도와 간구의 화살 깃을 단 중보기도의 화살로 니므롯의 화살(bow)을 이기는 여호와의 살(rainbow)이 되리라(고대의 용사 니므롯은 하나님의 처소를 향해 반역의 화살을 날렸다. 이에 비해 노아는 반역과 패역의 시대에 의의 용사로서 남은 자가 되었다. 하나님은 순종과 의의 길을 고수한 노아를 위해 활 모양의 반원형 무지개를 하늘가에 걸어 두셨다).

이제는 말씀의 권능에 사로잡혀야 한다. 기도의 불길로 태워야 한다. 살아서 움직이는 말씀의 역동을 따라 마른 해골도 일으키고 지옥의 터를 울려야 한다. 기도의 불길 속에 스스로를 불쏘시개로 던져 화력을 돋우고 불꽃 가운데 강림하시는 여호와의 영광을 재현해야 한다. 성령 안에 있는 의와 평강과 희락이 구현된 세상 한가운데 서서 하늘과 땅을 향해 소리 높이 외치고 싶다. 그리스도의 강한 용사가 되어 힘껏 싸웠기에, 원도 없고 한도 없이 이기고 또 이겼기에, 뿌리가 되고 씨가 되어 그 나라에 입성할 것이기에 유언처럼 또박또박 용사의 마지막 말을 남기고 싶다.

싸웠노라!
이겼노라!
남았노라!

Mighty Warrior

그날이 오면 세상에 버림 받았던 우리가
하나님의 기쁨으로 채워진 헵시바가 될 것이다.
그날이 오면 황무했던 땅은 새롭게 되어
결혼한 여자인 쁄라의 모습을 하게 될 것이다

Mighty
Warrior